선물처럼 찾아온
멈춤의 순간

선물처럼 찾아온
멈춤의 순간

# 암흑 속에서 빛을 찾는 최후의 정찰자—

"예술이란 자연이 인간에게 비추어진 것입니다.
중요한 것은 거울을 닦는 일입니다."

— 오귀스트 르네 로댕

'내일이면 괜찮아지겠지', '내년에는 멀리 여행도 갈 수 있을 거야' 같은 말들로 위안하며 하루하루를 견뎠지만 우리의 바람이 여전히 실현되지 않고 있는 2022년 2월입니다. 2020년 전 세계를 휩쓴 코로나19는 일상을 위협하며 인류와 공존하고 있고, 우리는 호모 마스크족이 되어 울고 웃는 서로의 표정을 제대로 확인할 수 없습니다.

그러한 절망 가운데서도 시인은 시를 쓰고 청소부는 바닥을 쓸며 인쇄공은 윤전기를 돌립니다. 회사원은 회사에 가고 배달원은 땀 흘리며 페달을 밟습니다. 그렇게 우리 모두 생존하기 위하여, 더한 절망과 맞닥뜨리지 않기 위하여 무엇이라도 해야 했고, 어둠 가운데서 반딧불 같은 빛을 찾아야만 했습니다. 어둠에 휩싸일수록 아주 작은 한 점의 빛이 더 또렷이 보이는 역설처럼, 아마도 시인들은 코로나 블루 시대를 헤집으며 생명의 빛을 찾는 최후의 정찰자인지 모르겠습니다.

눈을 감은 사람에게는 숨은 빛이 보일 리 없지만 마음

의 눈을 뜬 사람에게는 제아무리 작은 빛도 결국 보이게 마련입니다. 그 작은 빛들을, 선물 같은 빛을 하나하나 찾아 이 한 권의 시집에 담았습니다. 어쩌면 코로나19 이전에는 미처 알지 못했던 빛을, 아프기 전에는 발견하지 못했던 사랑과 평화와 따뜻함 같은 것들을 주워 담아 한 권의 책으로 엮었습니다. 당신이 읽고 부디 숨을 틔웠으면 좋겠습니다.

— 한국작가회의 시분과위원회

# 차례

# 양수리 바람

강남률

지난밤
운길산 골짜기에 모여 있던 바람은
동틀 무렵 서둘러 강으로 달려간다
달리다 달리다가 숨이 차서
두물머리 앞 작은 섬에 다시 모인다

첫새벽
물새 떼 앉아 놀다 간 자리엔
달빛의 여운처럼 물안개가 자라고
여독에 잠 설치고 일찍 눈뜬 바람이
정적의 강가를 절룩이며 걷고 있다

졸린 눈 비비며 문빗장 여는 아침
강물 위로 부서지는 은파금파 햇발들
놀라, 물속으로 숨는 송사리 떼
바람은 강가 갯버들에 매달려 춤추고 있다

구름은 바람 손잡고 어디로 가는지
중천에 뜬 태양이 곰살갑게 세상을 바라보는데
사공 없는 빈 배는
바람의 분신처럼 물결에 흔들린다

남한강 북한강 두 물이 만나
한강으로 흐르는 물길을 따라
바람은 저무는 운길산 긴 그림자 앞세워
강둑길 강둑길을 말없이 달려간다

# 분꽃, 하얀

강덕환

조국 분단의 아픈 상처
문상길 중위의 흔적을 찾아 떠났던
그해 여름 안동, 그 시인의 집
전날의 까마귀 모른 제사상
음복술이 과했던 탓일까
이른 아침에 깨어 마당을 둘러보는데
하얀 분꽃이 하도 고와 분양하자고 했더니
그해 가을 까만 씨앗 받아 들고 바다 건너
이 섬에 왔던 거라, 분단의 땅 남쪽 섬
해군기지도, 제2공항도 없는
비무장 평화지대로 만들려면
하얀 분꽃으로 뒤덮어 버리자는 거야

겨울 동안 갈무리했다가 이듬해 봄
심었지, 싹을 틔우더라고 무럭무럭
여름이 들 무렵 봉오리가 맺힌 걸 보니
쉿, 남부끄러운 얘길 해야겠네
하얀색이어야 할 분꽃이 줄무늬로 변색하고
같은 가지에서 붉은 꽃도 피는 거라
화들짝, 그 시인에게 메시지를 보냈지
씨앗이 제주해협을 건너오는 동안

16

바람피운 게 아니냐고
제대로 돌보지 못한 죄 역모로 다스려야 한다고
남귤북지(南橘北枳)는 알고 있었지만
북백남홍(北白南紅)은 듣기가 처음이라는 항의에
하, 글쎄 차분히 더 기다려 보라는 거였어

평화를 맞으려면 기다림이 필요한가 봐
기다렸지, 배신하지 않고 피어나더군
하얀 꽃들이 열대야가 기승을 부리건 말건
코로나로 사회적 거리를 두지 않아도
저녁밥 안치는 시간이면 활짝 피었다가
오므리고 피고 오므렸다 피어나며
맷집을 키워 온 한반도 삼천리
분단의 나라에서 수줍게 수줍게 피어나
통일의 꽃으로 자라더라고

그래서 이참에 하는 말인데
남쪽 끄트머리 한라산 돌매화 데리고
상경하였다가 머뭇거리지 말고 비무장지대
철조망에 가로막혀 신음하는 금강초롱
같이 가자 손잡고 내처 달려

백두산 구름국화와 벗하면 어떨까

너, 하얀 분꽃아!

# Hoarder

강민영

조수석에 앉으려니
사방에 물건들이 어지러이 널려 있다

— 이거 뭐야, 정리 좀 해야겠다
  버릴 건 좀 버리고,

커피로 얼룩진 빈 컵
살이 부러진 우산
구겨진 영수증
뭔가 닦아 뭉쳐 놓은 휴지
구겨진 호가든 빈 캔
수리 맡긴다고 보자기로 묶어 둔 밥솥
2주 전에 구매했다는 옷가지들로
뒷좌석이 너저분했다

— 이따가 내가 쓰레기는 들고 내릴게
— 내버려 둬, 받은 선물도 있고
  다 필요해서 둔 거야
  나중에 정리해서 버릴 거야

그녀의 차 안에 물건들이 늘어 간다

사람이 선물이라던 그녀가
여러 놈들한테 호구가 되더니 호더가 됐나

룸미러로 보이는 것은
그녀가 선물이라고 착각한
아직 정리하지 못한 관계다
자꾸만 뒤돌아보는 그녀의 로맨스가
쓰레기로 푹푹 썩어 간다

# 안경이 왔다

강성남

—2021년 나에게 온 선물


늦장미가 활짝 웃는 날이었다
안경이 왔다
시집 한 권이 따라왔다
분홍 꽃나무도 왔다
꽃나무 아래 소년도 왔다


수국을 바라보며 석류차를 마셨다
찻잔에 스며든 꽃그늘에 시선을 고정한 채
우리는 말을 아꼈다
수국은 조화(造花)일까 생화(生花)일까
꽃의 진위보다
별자리가 먹먹한 저녁이었다


저녁은
어느 먼 생으로부터 불어온 안부라는 걸
나는 까맣게 모른 채
배롱나무 아래에서 만나자~
연꽃 못에서 만나자~
꿈으로 온 목소리를 기억해내며
개심사(開心寺) 연못의 맑음을 생각했다

처음인 듯
내가 내 눈을 들여다보았다
처음이듯
내가 나를 바라보았다

사람들을 만나고
함께 밥을 먹고, 수다를 떨고
처음 보는 사람 앞에서도 잘 웃는 건
내가 나를
보기 위해서라는 걸 알았다

보고 싶다고
보고 싶어서 아팠다고
오직 너 하나만 그립다고
그 말, 한 번도 해 본 적 없는 나에게
혼자 견디는 게
습관이 되어 버린 나에게

안경이 와서
꽃나무 뒤편의 세계가 있다는 걸
거기 또 하나의 보이지 않는 내가 있다는 걸

알았다

영혼이 날아드는 곳은
가장 좋아하는 사람의 집이래
이해할 수 없던, 말로는 설명되지 않던
언어 너머의 세계를
사랑하는 사람의 심장을 어루만지듯
만져 보았다

안경이 와서
안경이 와서
어디서 온 줄 모르던 내가 왔다
어디서 온 줄 모르던 나도 왔다

# 따뜻한 쪽지 한 장

강세환

매일 밤 10시 30분 막차 타고 귀가하던
중국 산시성(陝西城)의 고3 수험생이
버스 기사 앞으로 쪽지 한 장을 남겼다
오늘 고3 야간 자율학습도 다 끝나고
막차 타는 것도 또 마지막일 것 같아서
그동안 감사했다는 손 글씨 쪽지*였다

버스 기사는 그 여학생을 짐작하고 있었다
버스 막차 탈 때나 내릴 때
고개 숙여 인사하던 그 여학생이었다
버스 경력 30년 만에
가장 큰 선물을 받았다는 버스 기사

버스 뒷자리에서 노트 반 장 정도 꽉 채운
볼펜 손 글씨가 정겹고 또 아름답다
나도 몇 해 전만 해도 이런저런 손 글씨 포스트잇 받았다
자기소개서 초고(草稿) 꼼꼼하게 읽어 줘서 고맙다는
수시 상담 잘해 줘서 고마웠다는
고3 야간 자율학습 감독하느라 수고했다는
졸지 않게 쩌렁쩌렁 수업해서 좋았다는

* SBS 〈오! 클릭(2021. 6. 9)〉

# 시월이

강수경

손은 깍지 껴 머리를 받치고
발가벗은 채
당당히 나를 바라보는 마야부인

배를 깔고 턱은 괴고
눈알만 이리저리 굴리며 나를 좇는 시월이
농익긴 마찬가지

엉덩이를 실룩샐룩 급하고 요란스럽게
좌우 요동치며
빨리 산책 가자고 앙탈 부린다
그러면 고마 홈빡 넘어가고 마는데

흥흥 쉑쉑
흥흥 쉑쉑

땅의 기운과 하늘의 기운을
몸속 깊이 들이마시며
의기양양 발걸음도 가벼운

거저 받은 이 땅과 공기와 자연 속에서

저렇게까지 감동하는 개가 되면 좋겠다 싶은데
나는 옷 입은 마야부인

혓바닥에 팃검불을 묻히고도 마냥 즐거운
시월이에게서 선물 같은 세상을
오늘도 한 수 배운다

# 쉼표

강순

음악을 들으면 몸속에서 꽃들이 와르르 깨어나
귀와 목과 배꼽을 열며
지옥을 깨는 최선의 방식으로

안녕? 살아 있다는 암호처럼

난민수용소 철조망 속에서 꽃부리를 드는 꽃
감시에 찌든 팔을 뻗어 구조를 요청하는 꽃

침묵을 상으로 가져온 심판자가 일어나 춤을 추네

천둥과 벼락이 묻어 있는 무기들을 쏟아 내며
가슴에서 넘쳐나는 고요와 안도 나눠 주며

새로운 길 천국의 길 마음에 드니?

베토벤 교향곡 모차르트 바이올린 협주곡
세계 공용어로 세워지는 길 위 표지판

꽃들이 무장한 군인 몰래
물관 체관 희망을

허벅지 겨드랑이 안쪽 깊숙이 벼리고

자유 선언문을 낭독하며
등과 유방과 자궁을 흘러
어둠의 시간을 출렁이며 넘고 있어

하루를 견디느라 온몸이 검붉어진 도시가
고단한 밥상을 차려 내는 밤

꽃들이 꽃들의 손을 잡고
선인 악인을 가르는 벼랑을 타고 올라

창문이 없는 몸속을 다 빠져나가
접시 위에서 쉼표를 흘릴 때

오늘, 내게 주는 마지막 선물이야

# 나에게 온 선물

자갈길을 걷던 이민녀의 삶
7년 만에 샛별로 찾아온 딸 로즈메리

그때는 그랬지, 밤새 고통도 즐거움이었어
시드니 병원 분만실에 동양 아기 하나 태어났지
간호사들이 귀엽다고 너를 안고 가 버리면
마미는 젖멍울을 붙잡고
너를 찾아 복도를 헤맸어

세월이 흘러 마미가 한국으로 나왔을 때
센아이브스의 큰 집을 지키던 스물다섯 네가
단돈 몇 푼만 들고 미국행 비행기를 탔지
친구를 의지하며 간 미국 이민
가서는 어떤 모습으로 살까
너를 생각하면
선인장 가시가 가슴에 찔리듯 겨우 잠이 들었지

너를 낳고 심었던 퀸엘리자베스 장미꽃
네가 떠난 뒤 바라봤어
훌쩍 커 버린 장미
시간의 묵직함이 향기를 더욱 진하게 피우는구나

2021년 5월 9일

어머니날 아침에 눈을 떴어

샌프란시스코에서 로즈가 보낸

장미꽃 다발과 '엄마 사랑해요' 아름다운 카드

나무 상자에는 향기 초, 꽃잎향 비누,

예쁜 양말, 스페셜 티, 민트 초콜릿


예상치 못한 선물에 미안하고 고마웠지

늘 언니의 그늘에 가려서

해 주지 못한 게 많았던 너였는데


걱정 마! 하면서 혼자 뭐든지 잘하던 너였지

오프라 방송국이 네가 편집한 필름을 방영했다니 축하
한다

목숨보다 귀한 내 딸로 태어나서 감사하고

로즈는 내게 행복이고 가장 큰 선물이야

코로나19로 오지 못하고

마미가 보고 싶다는 너의 말

코코바라가 노래하는 아침마다

로즈를 생각하고 기다리며 미소 짓는다

# 하얀 동백

강영환

서천 구재기 시인이
산애재에 핀 하얀 동백꽃을 자랑하기에
보여 줄 꽃이 없는 나는
새로 태어난 손자를 내밀었다
동백은 붉게 피는 것으로만 알고 있었는데
어찌 순백으로 피어나
손자 얻은 기쁨을 얻어 갈까

# 곶자왈 편지

엄마가 좋아할 거야 얼른 와!

달려간 곶자왈 초가
꽃불 켜고 나를 기다리고 있었다

낮은 돌담, 흙길, 숲속에 자리 잡고 있었다
문고리 풀고 마루에 오르니 격자 창살이 피어났다

구석구석 군밤 냄새, 고구마 삶는 소리 들렸다

창에 걸린 창호지 걸치고 누워 보니
서까래마다 편지가 꽂혀 있었다

십 년 전 까치에게 띄운 행간에
꺾일 뻔한 가지를 받침대로 세워 주었다는 장미꽃 문장

스로우 스로우, 유행을 모르는, 주먹 대신 활짝 편 손바닥
곶자왈 산책길에서 마주친 노루 가족

구실잣밤나무, 팽나무, 엉긴 뿌리근육과 고사리 줄기

아득한 옛 친구가 들어설 것 같은

적당한 불편함이 정겨운 등불을 밝히고 있었다

내게 부친 편지가 내게 돌아오는 시간이었다

# 벙어리장갑

고성만

어미돼지 뱃구레에 주렁주렁 새끼돼지 매달린 그림이 걸린 이발소 집 창문에 붙어 검은 코트 긴 목도리에 싸인 채 버스에서 내려오는 단발머리 소녀를 기다리고 있습니다 방망이질하는 가슴으로 뽀얀 수증기에 썼던 이름을 지우고 쓰고 다시 지우던 겨울

색색의 포장지에 싸인 카드 장갑 목도리 반지 선물을 가지고 우체국으로 갑니다 소포를 부치는 순간 받는 소녀의 얼굴이 그려집니다 장갑을 끼어 보았을까 유행에서 벗어나지 않았을까 어떤 표정일까

장갑을 끼고 종종걸음 치는 소녀를 볼 때 내 마음까지 훈훈해집니다

강변 지나 기러기 닮은 섬들 따라가면 어느 모퉁이에선가 문득 만난 눈사람 만든 사람의 바람을 안고 차디차게 얼어 버렸습니다 눈물 글썽이는 별빛 아래 서 있습니다 솔가지 꺾어다가 붙여 놓은 눈썹이랑 삽날 찔러 넣은 배꼽 오뉘처럼 연인처럼 다정하게 마주 보는 두 사람

아직 난로에 불 지필 시간이 되지 않았는데 서둘러 가

버리더니 다음 날 아침 또다시 입 밖에 내는 순간 녹아 버릴 듯 살살 찾아오는 햇살햇살햇살…… 가만히 굴리면 쿠키처럼 고소하게 녹는 이름

또 압니까 어느 거리 어느 길목을 걷다가 어릴 적 짝사랑했던 그 소녀를 우연히 만나게 될지 그 소녀는 이미 중년 여인이 되었을지라도, 그 소녀가 낳은 소녀들이 거리를 가득 메울 테니까 말입니다

# 벌교

고운기

개펄 건너와
갈대밭에 불 질러 붙인 석양이
하루를 넘겨주고
산 넘어간다

마감에 이르러 사람도 이토록 거룩하기를……

바람은 무슨 말인가 걸려다
서둘러 벌교초등학교 운동장 쓸겠다고
남은 아이들 발자국 찾아
방죽 따라가고

철다리 아래 장도 막배가 내일 아침
해 싣고 오마 통통댄다

# 아버지의 편지

고원

오래 남은 선물이다
한지에 쓴 생일편지

선친이 떠난 자리에서
자라고 있는 딸이 답신

화선지에 굵게
붓으로 쓴 편지

오래된 사랑에
아주 늦은 회신

아빠 사랑해
아 감사합니다

# 둥근 선물

고은진주

문 열면 직각이거나 정각의 방들
일조권은 비스듬하고
웃풍의 얇기에 따라 값은 비싸고 또 싸다

둥근 방은 어째서 없는지
방이 둥글면 발등 더 따스할 것 같고
방구석에 먼지 낄 일 없을 것 같은데

맹지의 통행로처럼 온기 감도는 방

방 한 칸 담보로 하는 차임이란 눈부신 몽우리
또는 몇 번의 승차 거부 끝에 얻어 탄
안도의 온도 같은 것이다

한철 물색없이 보낸 궁핍과 딱 맞는 크기라서
선뜻 신발 벗을 때
햇빛 젖은 방향을 핑계로 추진 곰팡내만큼
보증금 깎아 주는 문

태생의 모든 방은 그 등이 따뜻하다

# 선물

딸이 학교 근처로 원룸을 얻어 나간 후
빈방에
명절 선물들을 쌓아 놓았다


김 꿀 사과 와인 한과 홍삼 멸치 상자들과
시골에서 올라온 쌀자루


선물방이 된 딸의 방


명절 쇠러 오는 딸을 기다리며
오전 한두 시간
선물 상자들을 치우고 먼지를 털고 방을 닦는다


흐트러진 옷을 정리하고 요를 깔다가
긴 머리카락을 떼어내며
딸의 키와 체취를 가늠해 본다


세상에서 가장 큰 선물을

# 개미들의 점심시간

곽구영

낮 열한 시 반쯤의 H 조선소
슉슉 부릉부릉 이륜차의
바쁜 엉덩이들의 난장
천 개가 넘는 하얀 변기에
쏴아 쏴아 쏴아
개미군단의 사이다 폭포 쇼!
어푸어푸 손 씻고 얼굴 씻고 머리도 감는,
질서 정연한 북새통

스무 개가 넘는 식당, 셀프 식대 앞
구붓구붓 펼쳐지는 강줄기
일용할 양식 앞에
굵은 목젖 꿈틀거리며
구릿빛 얼굴 형형한 눈빛
수북한 밥과 찬
사과 한 알에 요구르트 한 병
몇 분 만에 뚝딱!

2만 명이 넘는 개미들
족구를 하고 셔틀콕을 날리고
탁구를 하거나 이두 삼두를 다듬고

벤치에 누워 햇살을 즐기는,
세계 제일 조선소의 에너지 충전 시간

디지털 시대
온몸 땀방울 기름으로
오대양 구석구석 밝혀 가는
아날로그 개미들의
詩푸른 점심시간

# 선물

곽동희

꽃무늬 빨간 장갑의 방문은
기척 없이 찾아온 잠꾸러기처럼 나른하다
자판기 잘 두드리고 미끄러지지 않을 만큼 붙어라
깊숙이 눈길 주는데,
건성건성 심드렁히 받아 쥐고서
줄 게 하나밖에 없다는 궁색한 표정
짧은 입맞춤,
멋쩍은 눈빛, 두툼한 웃음 담아
눈시울 붉어진 하루
감출 수 없는 고마움을 애써 다독이다가
익숙하지 않은 빈말이 서툴게 빗나가듯
그냥! 덤덤한 말투
저돌적인 말에 인색했다
머쓱한 사이를 이어 준
사랑의 크기나 넓이,
깊이와 상관없이
딱 맞춤한 서른 해의 따스한 겨울해가
시리도록 다소곳이 마주한 힘,
먼 훗날 살아가며 살아지게 한다는 걸
냉큼 손 내밀어 줄 수 있는 가족이 내게도 생겼다

# 월요일이 사라졌다

권오영

그들은 떼를 지어 온다
가족 단위로 뭉쳐 오고 단체로 모인다


요일이 소란을 떨며 요일을 기념한다


기념일이 전부가 되기 위해 혼자가 된다
요일 사이에 금을 긋는다


같은 시간도 아니고
같은 요일도 아니고
같은 사람들도 아니고 아무것도
같지 않아서 칸을 나누어 진실 거짓 확실 불확실
칸마다 넣어 둔다 요일이 온다 분별이 없어
무엇을 꺼낼지 알 수 없다


90초의 생각이 요일을 몰고 온다
높은 담장의 수국들 고개 떨구고
일요일의 장미가 담을 넘는다
기뻐하는 교회 모퉁이 부추꽃이
오후 두 시 햇빛을 견디고 있다

요양원의 일요일은 같고 길다

똥을 싸서 그린 벽화는 진실하다

진실을 지켜보는 동안 새날이 온다

감쪽같은 손은 진흙 놀이에 몰두한다

벽에 핀 무화과는 줄줄 열매를 흘린다


늙은 귀에서 마법의 비둘기들이 쏟아져 나온다


거짓의 요일을 비둘기들에게 뿌려 주면

서로의 얼굴을 기웃거리다 서둘러 사라진다


때가 되자 거짓을 삼킨 새들이 온다


쏟아부은 말을 속엣말로 담는 동안

일곱 권이나 되는 요약본이 포개진다

# 선물

권지영

나를 정말로 사랑해 주는 단 한 사람이 있다면
바로 당신입니다.
아침에 눈을 떠 밤에 잠이 들 때까지
내 생각만으로 하루를 꼬박 채우는 사람이 있다면
바로 당신입니다.
작은 말소리에 귀 기울이고
거친 숨소리에 걱정하는 사람
나를 한없이 기다리며 보고파 하는 사람
밀어내도 다시 돌아오는 용수철처럼
언제나 내게 돌아오는 단 한 사람

파도치는 인생에서 나를 꽉 잡아 주며
함께 풍랑을 헤쳐 나갈 사람
어둠뿐인 적막한 바다에서도 곁에 있어 줄 사람
어디에도 없는 나의 단 한 사람
바로 당신입니다.
철부지 어린아이 같은 나를 웃게 하고
바보 같은 눈물을 닦아 주는 유일한 사람
말하지 못하는 마음을 다독이며 아픔을 홀로 등지고
가는 사람
쓸쓸한 바람 앞에서, 서러운 시간 앞에서

나의 울음을 함께할 사람

당신의 노래를 들으며 간절한 그 마음에 눈물이 흐릅
니다
마지막까지도 돌아앉지 않을 나의 곁이 되어 줄 사람
진실한 사랑이 무엇인지
내게 한없이 가르쳐 주는 그대라는 단 한 사람

# 팽나무 우체국

권혁재

마을 입구에 우뚝 서서
오가는 사람의 얼굴을 지켜본다
얼굴 표정으로 보내는 사연이
받아서 읽을 사람이 있었으면 좋겠다
안부를 들고 가는 바람 줄에
소인 한 잎, 한 잎 찍어
동구로 날려 보내는 가지가 출렁인다
나뭇잎 편지를 천 년의 껍질로
읽어 내려가는 그대
두근거리는 나이테의 물결이
파문을 치며 번지는 팽나무 우체국
나무에 기대어 당신을 기다리는 동안
해거름에 우듬지에서 떨어지며
별이 되어 가는 연서
그대에게 가기까지 천 년이 되도록
마을의 대소사를 나누다
문을 닫지 못한 팽나무 우체국

# 병(病)

권화빈

한 며칠 앓고 나니
세상이 다 수척해 보였다

아침마다 잡던 방문도
산등성이를 넘어오는 아침 햇살도
다 삐걱거려 보였다

길가 나를 반겨 주던
푸른 느티나무도

강가 어슬렁거리며
나와 놀아 주던 바람 소리도
다 맛이 가 버렸다

산다는 게 다 병이다

좀 덜 아프고
좀 더 아프고 할 뿐이다

# 밤이 선물이다

김경윤

나이 들면 밤이 길다

침묵의 수레에 빗소리를 싣고 오는
밤이면

물결 없는 밤의 강을 따라가던 마음이
막걸리 웃국처럼 가라앉는다

정년(停年) 후
코뚜레 벗은 소처럼
낮과 밤이 뒤바뀐 나날이 풀밭이어서

풀벌레 소리 달빛으로 쏟아지는
밤이면

달의 행로를 따라가던 마음이
새벽녘까지 걷다 온다

젊음이 노력으로 얻은 상이 아니듯
늙음도 잘못으로 받은 벌이 아니어서*

차라리

밤은 늙음의 선물!


이즈음 나는 밤이 좋다

* 박범신 소설 『은교』에서 변용

# 선물

김균탁

밤낮없이 스며드는 건 억누르지 못한 감정이었다. 검게 변해 가는 물에 타들어 가던 눈물, 밤을 새워 울어도 흘려 놓은 피는 바다에 닿지 않았고 수장된 기억은 침몰하는 시간이었다.

쏟아 놓은 물에서는 자꾸만 어린 내가 걸어 나왔다. 어린 나는 칭얼거리며 엄마에게 달려가고 엄마는 온몸을 칭칭 감은 두꺼운 적막을 한 겹씩 벗기며 오래된 이야기를 들려주었다.

이야기 속에는 죽은 사람들이 많았다. 죽어서도 이야기로 살아가는 사람들, 얼마 후면 나 역시 이야기로만 기억될 것이고, 엄마는 쏟아 놓은 물들이 붉게 물들 때마다 흥건하게 젖은 정적을 삼킬 것이다. 하얀 방에 붉게 토해 놓은 일기를 한 편씩 꺼내 읽으며 덜 익은 고요를 견딜 것이다.

잊힌 날보다 잊히지 못할 날이 더 많아 밤낮없이 파고드는 억누르지 못한 감정, 소란보다 적막이 더 긴 그림자를 드리운 다인실에는 엄마의 손결이 닿아 잘 포장된 내가 있었고, 시들어 가는 나를 느린 눈동자로 읽는 엄마가 있었다.

# 거미

김두녀

이슬비에 젖어들던 밤
진주를 실에 꿰어 걸어 두었나
아침 햇살에 오색영롱한
허공에 뜬 집

아침 식사도 미룬 채
스스로 평화가 된 느긋한 너를 두고
하늘이 준 최고의 선물이라고
숨어 보는
황홀한 이 호사여!

# 구피 안녕

김두례

구피를 깨운다
눈을 뜨면 구피들에게 가
안녕 안녕 안녕

그들은 살랑살랑살랑 움직이고
나는 어느새
먹이통을 들고 술래가 된다

지난여름에 분양받은
산란하는 빛
빈집을 채운다
아이들이 없는

너도 일어나 아침 창문을 열듯
구피에게 말을 걸지
오늘은 빨리 회사에 가야겠어
버스를 타고 가야겠어
계획이 꽉 차 있네
모레 보자

구피들은 물풀과 살랑살랑

구피들을 부른다
어제 그대로일까
안녕 안녕 안녕

다시 세고 또 세고 또 또 세고

# 물푸레나무

김명지

초록의 숲에 왔더니
나를 반기는 저 꽃 흰 꽃
겨우내 나를 휘감고 지나간 눈보라가
새침하게 입술을 내밀며 주저리주저리 피었네

그대는 보았는가
버려진 시간을 따라온 사금파리만 한 마음에 풀물 들어
발끝부터 연두의 대열에 포위당하는 몸을
어느 해 겨울 앙다문 가슴 안에 누웠던 내가
내내 오래도록 겨울인 채로
그립다거나 보고프다거나 혀 짧은 투정조차 두려워하
던 내가
가슴을 풀어헤치며 풀물 들이고 있는 것을

북대암*을 내려와 공중전화 부스에서 울먹이던 견습
수녀의 옷자락에 물들던 그 빛
눈물조차 푸르러 차마 등 두드릴 수 없었던 그날
물푸레나무 같던 그녀가
나의 전생이자 후생이라는 것을 알아채지 못했던

가지가 푸르르 떨었다

내 몸을 끌어당기며 한없이 떨었다
꼼짝없이 사로잡힌 나는 이제
물푸레나무
물푸레나무다

그대,

* 청도 운문사 북대암

# 마스크 쓴 인류(Homo Maskus)        김민정

앞으로 인류는
마스크 쓴 인류가 될 것이다

수년 전, 빌 게이츠가 예언한 이 말을 떠올리며
나는 손바닥을 입과 코에 대어 보았다

손바닥에 입술 립스틱이 붉은 낙관처럼 찍어낸 새로
운 세상
신천지가 도래했다는 2020 속보가 실시간으로 전해
졌다

차갑고 칙칙한 겨울 공기를 일시에 휩쓸어 버리는 흰
분홍
벚꽃 피는 시간이 둥근 시계판 위에서 몸을 풀고 있는
데 느닷없는,

토슈즈를 신고 12황도 따스한 봄꿈에 젖어 있던 지구
별의
자전축이 삐끗, 미끄럼을 탄 것도 아닌데 21세기 소빙
하기 같은
신천지 지도가 찍힌 두 손을 30초 이상 빡빡 문질러 씻

으며

　벚꽃 피는 시간의 향기를 마스크로 가린 코와 입으로
흠향하고 있는

　인류라는 종의 불가항력


　그 눈에 보이지도 않는 왕관이라는 거대한 권력의 수
사학

　코로나19, 하 수상한 19금, 2미터 사회적 거리라는 것의,

　2020 컴퍼스가 그려대는 검은 박쥐의 날갯짓


　다른 생명과의 공존과 상생을 외면하는 문명이라는

　광야에서 외치는 예언자의 목소리는

　언제나 늘 인류라는 탐욕의

　지평선을 가뭇없이 박쥐 날개처럼 맴돌 뿐이었다


　머리에서 손끝 발끝까지 바이러스19 방호복과 두 눈에

　고글을 장착한 인류가 걸어 나와 고글과 마스크를 벗
어 보이며

　경건히 민낯을 드러내는 예언의 무대 위, 탐욕의 지문
처럼

　얼굴 구석구석 화석처럼 박혀 있는 마스크 자국,

마스크 쓴

2020년, 봄, 지구별, 인류,

# 연희동에서의 일거(逸居) · 5  김상균

달림이는 나를 보기 전부터 달림이었다
가출하여 의정부까지 내쳐 달렸던 달림이

밤이 이슥해져 밖을 나설 때면
발소리만으로 녀석은 앓기 시작한다
머리를 바닥에 대고 배를 내주며
충심(衷心)을 보인다

문학촌을 한 바퀴 돌 때를 빼곤
항상 문 앞에 묶여 있는 달림이
어슬렁거리는 곰처럼
황금빛 갈기를 가진 사자인 듯
범접하기 어려운 자태지만
순하기 그지없는 달림이

달림이는 날 만나고 나서 달님이가 되었다
매일 주는 닭고기 포(脯) 한 조각에
밤마다 보름달 되는 달림이

# 어떤 시화전(詩畵展)의 위력

김석주

구마모토

1592년 임진왜란, 조선 침공의 선봉장으로서

가장 잔인한 살육을 자행했던 기요마사(가등청정)의

가토성이 있는 곳으로

조선인들의 코와 귀를 베어 와 소금에 절여

전과를 과시했던 악귀들의 본거지요

일제 강압 시대엔 가장 악랄했던 만주군과, 일본 헌병들을

제일 많이 배출한 지역이니 구마모토

조선인들에겐 악마들의 본거지라 말할 수 있음이니

살아 있는 상태에서 귀와 코 베기를 즐겼는가 하면

임산부의 배를 도려내어 신생아를 총칼에 꽂고

기념사진을 찍기도 했던 잔악한 인간들의 본고장인 구마모토

나는 이곳, 가토성 안에서 시화전을 열면서

"네 이놈 기요마사라는 괴수와 그 졸개들아 이리 나와

정의의 저주를 받으라 이, 천벌을 받을 놈들아"라는 심정으로

여기 일본인들의 회개를 촉구하는

20편의 시화를 이 성안에 펼쳐 놓았던 것이다

(1997.04.14)

그리고 오늘 2020년 7월 5일 기록적인 폭우로 강둑이 터져

물바다(시간당 110밀리)가 된 구마모토의 대참사를

TV 뉴스를 통해 느긋이 보고 있었던 것이고

그때 그 한 사나이의 울부짖는 절규에도 끝끝내

회개하기를 거부했던 네놈들의 최후를 보는 것 같아

나도 모르게 오! 하는 탄성이 터져 나왔던 것이고

하늘이여 오— 하늘이여 하면서 감동에 흠뻑 젖어 보았던 것이다

# 찰나가 주는 선물

김송포

그녀가 우연히 통화하다가 뜻밖의 제안을 하였다 제주
도 갈까 그럴까 더 묻지도 않고 단숨에 대답했다 몇 초 사
이에 일어난 찰나의 입, 우린 저지른 사고에 키득거렸다 비
행기와 숙소와 거문오름 방문 예약을 찰나에 마쳤다 초고
속으로 진행된 말에 흔쾌히 동조한 찰나의 선물이 낯설다

결정은 쉽고 과정은 열려 있다 선물은 낯선 곳을 찾아
낯선 풍경에 환호를 지르는 것, 낯선 사람들 사이로 낯선
물방울을 만나는 것, 몇 초 만에 이루어진 조화가 색채를
빚었다 산수국의 이파리가 꽃처럼 보이기 위한 술수일지
라도 순간의 선택은 벌이 와서 달콤하게 선물을 주고 간
출구 같은 것이다

# 빈손

김수우

원양어선을 탄 아비가 선물한
외제 만년필
중학생 딸은 사흘 만에 뚜껑을 잃어버렸다

만년필 뚜껑을 찾아 오십 년
아직도 찾지 못한 딸은 겨우 잉크빛 무늬를 알아차린다
진짜 선물은 만년필이 아니라
만년필이 결코 내 것이 아님을 아는 것

눈도 입도 내 몸이 아니고
다락방도 굴참나무도 내 방이 아니고

순간에 태어나고 찰나에 해골이니
길도 길 위의 기적도
소유를 잊을 때 비로소 드러나는 거대한 꽃받침

시도 그렇다 훌렁훌렁 옷을 벗는 허공
움켜쥘 수가 없다
적벽돌 같은 어휘들도 바람이 업고 가는 벙어리의 영혼
전깃줄 같은 문장도 잔뿌리 많은 메아리

부재하는 풍경이 부재하는 나를 기른다

아무 데나 스미는 한 톨 먼지로 자라서야 몽둥손을
편다

코 풀린 뜨개옷처럼 풀려나오는 태초의 덩굴들


애초 만년필 뚜껑 속에

광대한 우주가 살고 있었다

# 스마트폰

김순선[1)

전량(電量)이 얼마 남지 않았다
보내는 것보다
읽은 것에
거는 것보다
받는 것에 신경을 쓰게 된다
문득, 지금
하고 있는 이 일이
남은 시간을 들여
쓸 만한 일인지
내심 묻게 된다
조심하게 된다
그나마 남은 게
쉬 방전되지 않도록
그 사이
무슨 좋은 소식이 하늘을 날아
꼭
날아들 것만 같아서

# 아름다운 선물

김순선[2]

— '존재의 위로' 가족 전시회를 다녀와서


점점 삭막하고 느슨해지는
우리들의 관계 속에서
고사리 장마 같은 안개가 몰려오는 일상에서
허둥대는 마음에
구름 사이에 햇살 비치듯
한 가닥 희망을 심어 주는 세 모녀의 선물


시아버지 시어머니가 쓰시던 보잘것없는 물건들
버려도 그만인
쓰레기 더미 속에 묻힐 수도 있었던
여름 모자
구리화로
그 흔한 바구니
지금은 쓸모없는 둥근 밥상
고운 가루를 내던 체
쓰다 쓰다 문드러져 둘레만 남은
허름한 나뭇조각 틀에
색을 입히고 나뭇잎을 그리고
고사리를 붙이고 그려 넣어
새 생명을 불어넣었다

가는잎처녀고사리
넉줄고사리
천선과 열매

종이에 연필로 혼을 불어넣은
현무암 돌
구멍에서 구멍으로
삶의 이야기를 풀어낸다

보잘것없는 무명천에
바느질 하나로
한 땀 한 땀 아름다움이
춤추고 있다

정물
그 자체가
우리에게 위로를 준다
자유로운 표현 속에
세 모녀의 아름다운 사랑이
흐르고 있다

# 소요산행 1호선

김안녕

오렌지 하나가 하늘에서 툭 떨어져 석양이 내린다

불가능했던 모든 순간들을 떠올리는 가능역

오렌지색 불빛을 단 집들
오렌지색 얼굴로 전화를 거는 사람들
상한 오렌지에 마음이 상한 당신과
하염없이 지상을 달리는 전차

사랑이 가능해지는 시간은 언제인가
받지 않는 전화기 너머로도
핑크뮬리 놓인 들판과 황국 수놓인 호숫길은 펼쳐져
있을 텐데

사랑이 불가능해질 것을 예감하고서도 다정은 사라지
지 않는다
다정도 병이야, 내 입으로 그러면서
내 발등을 내가 찍으면서

가능역에는 또 무엇이 있나
우리가 마땅히 갖추어야 할 것들

몸이라는 말과 마음이라는 말
그리고 또 말이라는 말은 다 한통속 같은데
어쩔 수 없이 믿게 되는데

지금 할 수 있는 것은 이 열차의 끝까지 계속 가 보는 것
철로 끝까지 석양이 켠 음악을 끄지 않는 것

방금 누가 일어난 자리
보일러 들어온 것처럼 따뜻하다

모르는 사람이 아름답듯
모르는 사람이 따뜻하다

# 뉴저지 타운하우스

109동 할머니가 지팡이 짚고 오고 간다
햇살 그물망 아래서 천천히 느리게 지그재그 놀이
말라 버린 푸른 기억들을 촉촉하게 깨우는 시간이다
돌담길 수북이 동백 열매 밟으며
총총히 꽁지 세운 장끼가 밀감 과수원으로 들어간다
사르르 늦바람 장면을 찍는 띠 붉은 유혈목이
돌담 위를 빠르게 스쳐 간다
101동 아주머니가 커피를 볶는다
한낮이 무성하게 키우는 원초의 풍경 앞에 앉아서
타닥타닥 자작자작 오, 직화의 로스팅
뒷마당으로 이미 가을이 맴도는 카키향이다
저 따갑고 빛나는 햇살이 잠잠해지기 전에
서둘러 산책길을 나서야 한다
태양이 언제까지 지구에 머물지 알 수 없는 일이라는
환경 비관론자들을 생각한다
떠나온 도시는 여전히 초미세먼지와 온갖 소음들
그리고 인간의 문명을 비웃으며 번지는 예측 불가 질
병 코로나
지구에 공포탄을 선물한 자여, 아직 더 남았는가
집을 나서면 써야만 하는 마스크가 필요 없는
곶자왈 산책길을

작은 막대기 하나 들고 간다
경계하는 나무들과 곤충들과 날 세운 뱀에게
내가 건네는 선물은 오직 배려의 마음뿐
저지리 타운하우스에서는 이것들과 친해져야 한다

# 불 꺼진 만수리(萬壽里)

할머니 한 송이가 또 꺼졌다
도시로 내보낸 살점 같은 자식들 대신
금 간 옹배기에 봉숭아 서너 그루 기르며
오래 앓은 무르팍 관절염과 함께
산골짜기 끝자락에 유배처럼 붙박여 있던
만수마을 구순의 강 씨 노인이
기어이 생의 마지막 불을 껐다
그을음 푸슬푸슬 떨어져 내리는 처마 밑
군데군데 널장 빠진 툇마루 끝에 뭉쳐 나앉아
안간힘을 다해 홀로 밝혀 오던 불이 꺼지고
덩달아 모퉁이 돌담길 하나가 또 꺼졌다
머지않아 마을이 통째로 꺼지고 말 거라며
마지막 남은 희미한 불빛 몇을 바라보다가
마지막 청년인 칠순의 이장이
허공을 향해 눈시울을 훔치는 사이
허물어진 돌담 안 이끼 낀 장독대를 굽어보며
묵은 살구나무 한 그루
검버섯 핀 구부정한 허리께에
조등처럼 불그레한 꽃송이들을 매달고
꺼질 듯이 위태로운 봄밤을 흐느끼듯 흔들며
홀로 묵념에 잠겨 있었다

# 각시투구꽃

김완

거창 우두산 가는 길 고견사 입구에서 너를 만났다
낮은 풀숲에 숨어 지나가는 나를 빼꼼히 쳐다보는
보라색 자태가 매혹적이었다 식물도감에
나오는 전형적인 모습이 한눈에 쏘옥 들어왔다
네 모습을 우선 사진기에 담는데 감개가 무량했다
뿌리인 초오는 누군가의 사약으로도 쓰였다
신분의 귀천에 따라 다른 종류의 사약을 썼다니
인간은 죽음 앞에서도 공평하지 못하구나 유명한
너의 이름을 내과 전공의 시작하던 해 처음 알았다
신경통에 좋다고 너의 뿌리를 달여 먹은 후
가슴이 두근거리고 숨을 쉴 수 없어 응급실에 온
환자에서 나타나는 무시무시하고 괴이한 심전도
초오 중독에 의한 부정맥은 잘 알려져 있더구나
심심 유곡 홀로 밤을 지새우며 뿌리에 맹독을 키우는
예쁜 척 거짓된 사랑을 비웃으며 절치부심하는 너는
산문 밖 세상에서는 피울 수 없는 풍경 같은 꽃이다

# 여름, 내게 온 선물

김요아킴

새 아내가 배달되었다

이십 하고도 수년을 더 넘긴
그간의 끈적한 살붙이 사랑은
함께 간 법원의 대기실에서, 잠시
그 흔적을 털어냈다

한 획 한 획 눌러 담은
몇몇 글자의 손놀림에 이끌려
아내는 오십 평생의 지문이
이제 달라질 거라며 울컥했다

다시는 착하게만 살지 않을 거라며
불편했던 그 생의 한 조각 떼내며
옥편에도 없던, 늘 주변의 눈치를 봐야 했던
앞글자와도 결별을 선언했다

익숙함에 길들여 있던 나는
말없이 고개를 끄떡이며
그녀의 손을 꼭 쥐여 주었다

우편함으로 날아들 소식을
조바심으로 애태우던 날
마침내 아내가 돌아왔다

아직 입에 익지 않은 그 이름으로
그녀가 배달되어 왔다

# 손주

김원준

할미 입가에
장미꽃이 벙근다
굽은 허리에
장독을 얹고
다리를 절뚝인다 그래도
연신 고개를 뒤로 돌려
어르는 얼굴은
불이문 넘어선 약사여래다

# 손가락 선물

나무의 긴 손가락을 보는 순간 섬뜩했다
수많은 세월을 지내온 그가
E.T. 닮은 손가락으로
내밀었던 그 많은 선물을
놓.쳤.다 아는 순간
등에서 식은땀이 흘렀다

땅의 힘을 길어 올려
나에게 내밀었던 그 손가락
하늘의 기운을 빨아들여
나에게 내밀었던 그 뜨거운 손가락 선물을
나는 모두 흘려 버렸다

내 이름을 부르던 숱한 바람 소리
나에게 명령하던 가늘고 긴 그림자
부르고 고하다 결국 울어 버린
떨리던 손가락이 굳어지고 나서야
나는 나무의 선물을 만날 수 있었다

# 청암사 가을

김윤현

수도산 너머로 여름을 속절없이 보내고
청암사 가을 들면

청암사 오르는 초입에서
들깨 조 도토리 밤 취나물이며 플라스틱병에 담긴 겨우
살이 효소까지 저들끼리 합세하여
등 굽은 할머니를 좌판으로 불러내 앉힌다

할머니 여생 같은 가을 하루해
수도산 너머로 다할 때까지
할머니를 집으로 보내 주지 않는다

청암사 주변 가을을 청암사가 관여할 일은 아니겠지만

청암사 가을 다 지도록
임자 만나지 못한
들깨 조 도토리 밤 취나물이며 겨우살이 효소가
온기도 없는 뒷방에 물러나 겨울 날 때면

겨우살이 할머니 등은 불전 앞에서처럼 더 굽어지리라

청암사 오르는 발길 점점 뜸해지자

가을은 청암사 초입에서 걱정이 점점 깊어 간다


청암사 주변 참나무 가지에서는

겨울에도 겨우살이 열매가 여물어 간다는데

# 채송화

김윤호

한눈팔다가
이제야 돌아보았다

우거진 잡초
진땀 흘리며 없애니

마음 길섶에 죽지 않고
피어 있는 채송화 한 송이

# 압화(押花)

김윤환

기일(忌日)이면 선물로 피는
오래된 꽃
지그시 눌린 채
응시하는 미소
한창일 때 그대로
납작이 엎드려 웃는 당신

눈을 보노라면
타다 남은 장작이 보이고
입술을 보노라면
못다 한 노래도 들리고
목줄기를 보노라면
생전의 식은땀도 흐르는데

마른 듯 젖어 있는 꽃
기억의 액자 속에서
아파도 웃는 당신

당신이 내려다보는
나도 눌린 채 피는
거부할 수 없는

당신의 압화

# 바람이 두고 갔다

김은령

창가 다육이 화분에 잡초 하나 올라오고 있다
뽑아 버릴까 몇 날을 망설이다
꽃송이같이 생긴 다육이를 비집고
화분 가장자리에 붙어 쭉 밀어 올리는 모습은
난간을 딛고 파르르 떠는 안간힘이어서
그냥 두기로 했다
잎을 틔우고 줄기를 내밀고
그 줄기에 잎을 달고 또 줄기를, 반복하다가
푸르죽죽 파리한 꽃을 피워냈다
달개비꽃이었다
어린 날 시골집 남새밭 언저리 모여 있던
암청색의 또릇또릇 당당한 화색(花色)은 어디 가고
부끄럽고 주눅 들고 민망한 빛깔로 온 꽃
구만리 허공을 가르고 온 바람이 슬쩍 던져 준 선물이
밀리며, 밀려나면서도 꽃 피워내는
처처(處處)의 얼굴들인지라
반가워서 눈물 나고 멍든 자국처럼 쓰리다

# 선물

김은옥

태풍 전야다
복도식 아파트로 스티로폼 상자가 날아왔다
누가 보내 주었을까 태풍의 눈처럼 고요한 내게
빈 상자에 꾸깃꾸깃 포장 테이프가 편지 같아서
꼼꼼히 살펴본다
귀 기울이니 상자 속에서 소리가 난다
어린 네 목소리가 들린다
미루나무 뿌리가 뽑힐 때
전봇대가 부러질 때
창문들이 제 얼굴을 때리고 있을 때
남태평양이 보내온 소리일까
지금은 비어 있는 저 무엇 속에는
네가 내게 보낸 어린 날의 아야소피아
얼굴 없는 우리들의 사진
내일 태풍이 오거든 우리 같이 가 볼까
네가 없는 먼 나라에서 온 사진 속
아직도 어리기만 한 아야소피아

# 마지막 선물

김이하

난데없이 전화를 받고 보니 억장을 쥐어뜯을 슬픔도
아득함도 없이
　간밤에 세상엔 없는 첫째 대신 둘째가 와서 다 끝나 가
는 한 생의 끝을 마주하고 있었던 게다

　막내는 소주병 곁에 혼자 뒹굴고, 나는 멍하니 수그러
진 신체의 빈자리를 찾아 머뭇거리고, 이런 판국을 어찌해
야 할 줄 모르는 둘째는 입맛만 다시는
　시작도 모르는 세상의 끝은 언제인가, 137억 년을 건너
온 우주의 한구석에서 사라지는 그 순간마저 누구도 끝이
라고 말할 수 없는 모호한 그 언저리

　오로지 그 한 몸에서 일어날 어떤 신호가 우리가 따라
야 할 말마(末摩)의 마지막 부름은 아닌가
　순간 두렵고도 아찔한, 괴괴하고 이상하고도 야릇하다
　헝클어진 생각과 가시덩굴과 같은 수만의 회리바람에
뒤덮여 버린 머릿속

　잔병으로 병원을 자주 찾지도 않았고, 술 담배도 즐기
시고, 치매도 없고, 아 밥을 잘못 드셨구나
　그래도 자식들 괴로워할 시간은 넘겨주지 않았으니 을

스산한 어머니의 생은 여기서, 다행으로

　이제 남은 자식들은 안도의 낯빛으로 즐거이 각자들
도생할 뿐인가
　한밤중 전화벨 소리에 예민해지는 불안, 노심초사한
알 수 없는 시간 끝에 매달린 어머니, 스스로 그 줄을 놓고

　서낭당, 마을 앞뜰 고래실, 원촌 입구 논배미, 삼밭골 밭
뙈기 다 물려주고
　첫째를 제일로 치더니 그걸 지키지도 못하고 무참하게
무너지고, 가진 것 없는 자식들만 객지에서 전전긍긍하던
옛 궤적이 스르르 무너지는 새벽

　부고를 따라가는 고속열차 창가로 어머니 얼굴 떠오른
다, 이젠 간다고 이 세상 훨훨 털고 가노라고
　고샅 모퉁이 한 송이 해가 볼록 피어오르는 물동이 이
고 돌아오던 밭길 에돌아가서는 그대로 산을 넘는 어머니

　파륜인 듯 야릇하고 벅찬 선물에 붉어지는 얼굴에 덮
씌워진 눈물도 동이에서 쿨렁거리며 쏟아지는 물길도
　달뜬 달음박질로 달음박질로 산등성이에 올라서야 숨

을 모으는 동안 그악스럽게 틀어쥐던 아귀도 스르르 풀
어져

　건너온 긴 시간은 거꾸로 굴을 지나다 산을 지나다 내
를 지나고, 한때는 한 몸이었던, 언뜻언뜻 내 몸 같던 어
머니 고운 얼굴 따라 어느새
　말갛게 떠오르는 고슬고슬한 햇살, 어쩌면 곰팡이 핀
눅눅한 한숨까지도 고운 먼지로 모셔 갈 듯 환하다

# 단비 소리

김인호

콘크리트 도시에 살 때는
이리 간절한 기도를 올려 본 적이 없었지

산촌에 와 작은 텃밭을 가꾸면서
한 스무날을 내다보고 내다보다
이 새벽 마당에 나와 듣는 빗소리

오메, 인자 다 살것다

하늘과 땅이 어우러져 내는
생명의 숨통을 터 주는 다디단
토닥토닥 이 빗소리

# 선물

김재석

언어를 재단하는 능력을
언어를 조립하는 능력을
언어를 요리하는 능력을
언어를 조제하는 능력을 나에게 선물한
내가 고맙다

단기건망증,
결벽증,
조울증,
저장강박장애를 나에게 선물한
내가 역겹다

# 풍요로움과 만나는 매우 작은 독방   김재홍

노래와 노래가 뒤섞이는
노래를 부르는 순간과 춤추는 순간이 뒤엉키는
불광동 지하 노래방 3호실

텅 빈 영혼의 무표정한 내면으로 성대를 드러내는 솟
구치는 고음 속으로 풍요는 하늘에 있고 무릎을 꿇어도
닿지 않는 허공의 깊이를 너무 수직적인 시간을 그러므로
음가를 상실한 기도를

춤추는 맨살의 무의미를
극한의 무기력을 헐벗은 상징을
현기증에 빠져드는 흰빛 속으로

받아들여진 사람*의 차이와
받아들여진 사람의 반복을
받아들여진 사람의 고독과
받아들여진 사람의 영원을

순간을 새기는
영원히 풍요로운 독방을
사라지는 순간을

* "받아들여진 사람은 자기 자신에 대해서도 전혀 권한이 없을 정도로 자신이 세상의 모든 것에 이방인임을 안다."

－카르투시오회 헌장 10~11.

# 영혼의 메아리 책, 책갈피

김정숙

머리맡을 지키는 수호신
날이면 날마다
가슴에 혼불을 켜는 너

노오란 새순, 호명하듯
동진강 물결, 무진장 푸르던 날
한들한들 코스모스 피던 언덕
첩첩산중 눈보라 치던 얼음 궁전에도

절실하게 기다리던 시 한 소절같이
그리움이 피어나는 조용한 숨결처럼
당신의 임종을 맞던 마지막 기도의 여운처럼

책은 언제나 지축을 흔드는 심장의 고동 소리

소리 소문도 없이 오시는
밤이면 밤마다
책갈피 속의 스승님들, 왜 사느냐고 묻지요
그저 속절없이
인생이 이순(耳順) 능선을 넘고 있습니다
화답하지요

하늘나라에서도 숭고한 목숨, 교감할
평생의 내 소중한 도반

책갈피는 언제나 섣달그믐 밤처럼 아리다
영혼의 메아리 책, 책갈피

# 흡족한 선물

김정원

처서 다음 날 해거름
할아버지가 마을 공동 쓰레기장에서
종이상자를 골라내
손수레에 차곡차곡 싣고 계신다

나는 할아버지에게 잠깐만 기다리시라 말하고
집에서 지난 문학지 오십 권을 지고 와
손수레에 올려 드렸더니
할아버지가 장난감 받은 어린애처럼 즐거워하며
고맙다 고맙다, 하며 꾸벅거리신다

작은 것으로라도 다른 사람을 행복하게 하고
그 사람에게 살맛 나는 삶을 한 번 더 누릴 수 있는
기회를 흔쾌하게 선사할 때

그 사람보다 내가 더 행복하고
혈압약과 당뇨약과 수면제를 휴지통에 버리고도
내 몸과 마음의 건강이
알프스 최고봉 몽블랑에 깃발을 꽂는
순간이다

# 절벽 앞에 우는 새

김종숙

희망을 품고 사는 이들이 곁에는 있습니다 희망이라고 입 밖에 내어 말하지 않으나 저들 봄볕 햇살 같은 희망 쥐고 산다는 것을 압니다 동편 창에 해 들면 나팔꽃처럼 깨어 밥을 떠 넣고 일터로 나가 저 소금 하늘에 능소화 그림자 찾아들면 어둠 달고 돌아와 몸을 씻고 잠을 청하는

절망이라 생각되어도 무너진 꽃잎처럼 쓰러져 울다 날 밝아지면 그 얼굴 매만져 지우고 일터로 향하는 이들……
돌아와 꿈을 꾸는

굳이 말하지 않아도 알 수 있습니다

이 말 없음의 희망, 순한 숨결이 만져지는 희망

지켜 주고 싶고 지켜내고 싶은

# 선물

김종원

문득문득 생각날 때가 있어
가슴 깊숙이 울리는 순간들이
있어
돌아보면 세월의 깊이가
아픈 흔적처럼 자꾸 흐려져
가고
눈을 비벼 봐도
점점 희미해져만 가는 것은
이미 돌이키기에는
너무 늦어 버린 걸까
초점이 자꾸 흐려지고
살아가는 일이 점점
단순해지는 것은
가슴 한구석을 비워 두어야
넉넉해진다는 것을
이제야 알아 가고 있는 것일 게다
늦지 말아야 한다고
조급하게 등 떠밀며
숨 몰아쉬며 달려온
시간들
더는 팽팽하게

끌어당기지도 않고
조급해하며 안달하지도 않고
조금씩 느긋해진 나와
마주하는 일
참 힘들었지 손잡아 주며
내게 안겨 주는 선물이다

# 크리스마스 선물

김창규

눈이 내리는 날 제주 동백꽃 피고
겨울은 봄을 기다리며 눈을 감는다
황금과 유황과 몰약은 아니지만
지상에서 가장 귀한 아이가 태어났으니
방 안 가득 환한 웃음꽃을 선물한다

가난한 이웃들에게 생명의 꽃을 보이며
촛불을 밝혀 든 수백만 명의 사람들이
서울 광화문 광장에서 평화를 노래하고
지나간 전쟁의 상처가 아물지 않은 마을
아기가 태어나는 축복의 땅 베들레헴

신의 선물인 생명의 꽃이 피는 아침
사람들은 기쁨의 노래를 부른다
찬란하게 떠오르는 어촌 어부의 집에서도
가난한 청계천 판잣집 지붕 아래서도
아기들은 태어나고 또 태어난다

크리스마스 선물로 다이아몬드 반지를
받아 든 어머니의 손가락에 빛나는 별
동방의 박사들이 처음 만났을 아기를 보고

수많은 피로 적셔진 땅에서 십자가
구원의 소식이 들리면 행복하다

가난한 사람들 고통스러워 흘리는 눈물
황금의 쟁반에 떨어지는 **빵**조각의 풍요보다
민중의 한을 가지고 풀어 갔던 문익환
그이를 보내 주신 참된 신께 경배하며
마지막 분단의 장벽을 부수는 선물 받았다

녹슨 철조망 걷고 비무장지대 평화
길을 내는 인민군과 국군의 만면에 띤 웃음
평화의 선언을 하려거든 크리스마스 날
전 세계 인민들 사회주의와 화해하고
북조선 평양 인민들에게 웃음을 선사하라

# 집으로 가네

김형효

하얗게 고개 숙인 억새꽃이 만발한

신작로 지나면 집이 온다.

나는 한 걸음 두 걸음

수천 걸음 걸어오고

억새는 항상 그 자리에서 빛이 나게

날 포옥 끌어안는다.

나 어린 날 바람 불어 들로 나가

흔들리는 억새를 붙잡고

밤이나 낮이나 울어대던 때가 있었다.

엄마와 아부지가 구순이 다 되어

구부러진 허리 쇠약해진 뼈마디에도

아랑곳없는 품으로 자식을 품어 안는 세월이건만,

저 억새꽃 여전히 백발의 청춘이다.

세월이 흐르고 흘러서 나도 곧 환갑인데

저 억새꽃 피는 고향집으로 가는 길은

언제나 이팔청춘이네.

허허 허허.

집으로 가는 집 없는 나그네로 살던

도시에 잡혀 영혼도 상념도 다 놓치고

여전히 찬란한 청춘인 구순의 부모님과 나를 되돌아

보네.

중추가절인 한가위 그 곁에서
가을날의 나그네는 나의 살던 고향이
흔들리는 억새처럼 당당하게 코로나도 넘고
날 선 제국의 칼날도 무디게
언덕 위에 꼿꼿이 찬란한 꽃 빛으로 빛나는
하나 될 한반도를 소망하네.

# 선물

김홍성

먼 길 떠나는 이 누구시기에
창가에 어리는 등불이 저토록 그립고 따스한가

먼 길 떠나는 이 산모퉁이에 서서
살던 집을 돌아볼 때 서운하지 말라고

가시는 곳이 아무리 좋은 곳이더라도
이 집 짓고 같이 살던 때를 잊지 말자고
창가에 밝혀 놓은 등불 하나

맑은 날 잔잔한 연못 위에서 놀던
소금쟁이들의 족적

순식간에 사라질 기억
이런 시 몇 줄

# 따뜻한 선물

다 잠들었는데 부엌에서 불빛이 새어 나온다


오랜만에 모인 식구들 자리가 여태껏
식탁에서 진행 중이다


저마다 술잔엔 식구들 안부가 노랗게 빛난다
술잔에 부스럭대는 소리


가득 따른 술은 누가 채워 놓았는지
씻어 엎어 둔 잔에서 흘러드는 웃음소리


힘든 시절 잘 견디자고
건네는 잔에 가득한 고마운 말


따뜻한 마음을 건넨다

# 선물

나금숙

빨간 우체통 옆 풀밭에서
이슬 묻은 신문을 집어 오는 것
강아지풀을 뽑아 게으른 잠에 빠진
네 입술을 간질이는 것
목책을 넘어가는 구름을 떠다가 찻잔에 담아 마시네
들판에 나가 작은 풀꽃들에게 이름을 물어보는 것
여린 뿌리를 흙덩이째 떠다
플라스틱병을 잘라 심어 주는 것

아하
실개천을 거슬러 오는 송어 떼에게 감탄을 보내는 것
그때 지나가는 티티새와 눈을 맞추는 것
한번 간 길을 다시 가지 않는 무지개를 만나 beyond를
꿈꾸는 것
나른한 오후
책 속에 들어가 문자를 떠나가는 것
밑줄 친 문장들이 모래처럼 쏟아지는 것

밀가루에 따뜻한 우유를 부어 불끈불끈
반죽하는 것
담쟁이 가득한 벽에서 문을 떼어냈다가

다시 덧대어 놓는 붓질

겸손한 꿀벌들이 반쯤 열린 창문을

가벼운 날개로 윙윙

벼슬 꼿꼿 거만한 닭들은 머리를 다리 사이로 감춘다

모래주머니에 담아 둔 곡식들이 꼬꼬댁거리는

오늘 이 하루가 선물

해거름에 배가 고파져

저 멀리 언덕에서 곤두박질 뛰어오는 아이들 소리!

# 청색의 사랑

나정욱

시를 읽다가 호흡을 멈추고 여러 유형의 죽음을 생각해 본다. 죽음을 생각한다는 것은 끝을 생각한다는 것이며 끝을 생각한다는 것은 이 가벼운 세상에서 조금 무거운 주제를 생각해 본다는 것이다. 이 무거운 주제를 나는 내 생이 주는 선물이라고 생각한다. 그러다가, 시를 읽다 죽는 것도 나름 괜찮겠다는 생각을 해 본다. 밥 먹다가 죽을 수도 있고 경을 읽다 죽을 수도 있고 사랑하다 죽을 수도 있고 싸우다가, 말하다가, 아니면 그냥 멍때리다 죽을 수도 있으니, 시를 읽다 죽을 수도 있겠다고 생각하는 것이다. 그러다 어제 내 사랑하는 여자가 했던 말이 생각났다. 이런 세상에 이런 여자도 있다는 게 신기하여 이렇게 적어 둔다. "당신의 그 짙은 딥블루, 그 청색의 색깔이 너무 예뻐요. 당신이 입다 해지면 그 딥블루, 청색을 내게 주세요. 내 분홍 원피스 앞가슴에 그 청색을 레이스로 달고 싶어요." 당신의 이 말이 얼마나 무거운 선물로 내게 왔는지, 지혜로운 당신은 더 잘 아실 겁니다.

# 선물이 되어 주었다

문창갑

누가 저리 끙끙 앓고 있지?
손전등을 비추며 조심스레 사방을 살피니
철거지 무너진 집의 잔해 사이
찬비에 시달리는 녹슨 망치 하나 있었다

이제 나는 심장에 불 꺼진 매정한 행려
별일도 아니고, 내 소관도 아니기에 심드렁 돌아서는데
벼락 치듯
별안간!

내 아버지도 목수였다는 생각,
아버지와 망치는 한 몸이었다는 생각,
센바람에 삐걱대던 우리 집의 곳곳을
망치가 못 박아 주었다는 생각, 울컥 올라와
졸지에
길에 서서 눈물 따위나 훔치는
삼류 신파극 우스운 사내가 돼 버렸다

어쩌겠는가
그 웅크린 몸 찬비 없는 안전지대로 옮겨 주었다
가만가만 이마를 짚어 보며, 젖은 몸도 닦아 내며

정성껏 선물이 되어 주었다
이런 내 마음이 전해졌는지
망치도 울컥, 딱딱한 쇠의 몸을 잠그고
제 몸속의 방석 하나를 꺼내어 내 무릎 밑에
한사코 넣어 주었다

반딧불처럼 더 오래 깜빡이고 싶은 밤
함께 따뜻하였다
말랑말랑한 서로의 마음을 어루만지며

# 누가 쓸쓸을 보았나요

박관서

― 사고로 떠난 K 시인에게

당신도 나도 보지 못했지요 로제티
여기에서 오고 거기에서 온 당신과 내가
여기로 가고 거기로 갈 때
악수를 하고 포옹을 하고 눈빛을
나누고 돌아서서 제 길을 갈 때
웅웅 들려오는 소리 소리
소리 너머로 당신을 보았지요 로제티
두 귀를 틀어막아서 더욱 선명해지는
걸어온 길도 걸어갈 길도 비틀어 쥐어
짜서 더욱 홀로 된 얼굴에는
눈이 없어 침실에는 창문이 없고
뚜껑에는 못을 치지 않는다지요 로제티
당신도 나도 듣지 못했지요
스물일곱 해 만에 빗길에 미끄러져서야
겨우 시인에서 인간으로 돌아온
20대여, 그대, 쓸쓸이여
되뇌임이여 읽기만 하던 슬픔이여

# 진료소가 있는 풍경·7

박구경

— 사동초등학교


장롱을 정리하다 예전에 폐교된 사동초등학교 가을 운동회를 알리는 붉은 타월 한 장이 눈에 띄었습니다

西紀 1996년 9월 20일.

철봉대에 매달려 두 팔로 끌어내린 그날의 파란 하늘이 생각났습니다.

# 뜻밖의 선물

오늘은 말복이다
나락 크는 소리를 듣고 어디선가 개가 짖는다
개 짖는 소리에
더위가 슬그머니 땅에 엎드린다
개의 선물이다

더위 끝자락의 햇살은 나락에게는
꿀보다도 더 달다
달콤한 햇살의 속삭임이
설익은 지구의 무게를 쑥쑥 뽑아 올린다
온 들판이 벼 익는 소리로 가득 찬다
계절이 버린 선물이다

여기저기 설익은 귀가 자란다
숨어 있던 금빛 언어가 출렁인다

더위가 엎드릴 때 나락 익는 소리에
귀 큰 개가 일어선다

말복엔 개가 시인이다
더위 먹은 시인이 놓친 선물이다

# 별이 내게 준 선물

박노식

별을 보고 왔지
뜨건 이마가 갈앉고
심란한 마음이 풀렸어
네가 거기 있어서
내가 위로를 받지만
네가 빛나는 건
어딘가 아프기 때문이야, 잘 알아
그래서 나도 아파
어제도 산정에 올라
너를 보았지
내 안에서
무언가 꿈틀거리는 걸 느끼고
네가 보내 준 선물인 줄 알았어
이제 난 괜찮아
아프지 않아

# 서랍 속 선물 상자

박상봉

아껴 두고 싶은 것들은
서랍 속 선물 상자에 고이 넣어 둔다
너무 잘 넣어 둔다는 것이
정작 찾을 때 못 찾고 애를 먹기도 하는데
책상 서랍부터 장롱까지 다 뒤져도 안 보이던 것이
각중에 불쑥 나타날 때가 있다
우연히 서랍 속 선물 상자를 열었을 때
무슨 보물인 양 소중히 간직해 온 것들
잡동사니들이 아무렇게나 쌓였지만
내가 살아온 흔적이 상자에 고스란히 담겨 있다
별것도 아니면서 차마 버리지 못한
시절 인연을 다시 마주하였을 때
단순한 기쁨보다 짜릿한 전율이 돋기도 한다
흑백사진 속 바다는 아직도 잔물결 출렁이고 있다
먼바다에서 밀려온 모래의 말들과
정든 옛집 지붕 위 구름의 수사(修辭)가
추억을 아름답게 하는 것인지도 모른다
어느 나무에 도드라진 옹두리*인가
옹이 박힌 나무가 더 단단하듯
상처의 내공이 깊어지면

서랍 속 선물 상자에 박제(剝製)된 옛사랑도

언젠가 다시 찾아올 것을 믿는다




* 나뭇가지가 부러지거나 상한 자리에 결이 맺혀 혹처럼 불퉁해

진 것

# 봄비

마스크 밖 세상에
숨을 고르고
눈앞의 계절에 발길 멈춘 사이

오시었는가
선물처럼

자목련 백목련 꽃그늘 아래
황사까지
말끔히 씻어낸 얼굴로

죄업에 고개 숙인 어깨 위로
꽃을 피워냈다고
봄의 얼굴로 걸어오라고

# 아가의 기도*

박소영

아프지 마요
힘들지 않게 해 주세요
사랑해요

우주 그 너머까지요

# 연천 호로고루

박완섭

남한 땅에서 느낄 수 있는

옛 고구려의 기상

조금만 더 밀고 내려왔으면

낙동강 전선도 무너지고

고구려로 통일된 나라

대륙으로 해양으로 펼쳐진

우리의 크고 큰 꿈

지금처럼 죽기 살기로

아옹다옹하지 않아도

살길은 넓고 넓어

무궁무진한 땅

꿈을 펼쳐 놓으면

끝없이 방목되어 자라는

지금 우리가 그렇게 간절하게 염원하는

통일도 할 필요 없는

고구려를 찾아가서

고구려 사람들을 만나 보는 시간은

언제나 설레는

우리 눈앞에 있는 고구려

고구려는 먼 이야기 옛날이야기가 아닌

우리 가슴속에 살아 있는

말발굽 소리 심장을 뛰게 하는

드넓은 고구려가

우리의 눈앞에 펼쳐져 있다

광개토대왕의 비문으로 우뚝 솟은 기상

호로고루를 오르는 천국의 계단

# 내가 준 선물

박정원

아버지는 늘 그러셨다

선물을 주는 사람이 되어라

너만의 선물을 가질 수 있어야 한다

그래야만 대대손손 번성할 것이므로

생전에 술 한잔 따라 드리지 못한 선물이

오늘따라 눈물겨운데

이 곱하기 이는 사, 해마다 한 명씩

세상에서 가장 귀한 선물이

넷이나 왔다

이젠 그 선물들이 내게 선물을 준다

할아버지 마스크 벗으면 안 돼요?

도처에 도리를 잃은 선물만이 그득하니

미안하다

보석 같은 너희에게 못된 선물을 안겨 주었구나

지켜내지 못한 선물 받기만 한 선물

내가 준 선물은 온데간데없고

있다 해도 숨 쉬기에도 버거운 선물

붉은 곰팡이 핀 선물을 선뜻 내주었구나

# 몰운행

박종훈

바람도 없고
지나가는 배가 없고
바다는 미동 없이 날아가는 새가 있었던가
알맞게 뽀송한 감촉의 모래알 한 줌과 조가비 몇 개
바다가 가진 것은 그뿐,

꺼낸 악기를 집어넣고 가만히 물가에 앉네

# 시는 어디에나 있다

배창환

가야산 먼 그늘 솔산, 외가 가는
그 길목, 한강 선생 옛 마을 갓말*에는 높은 기와집들이
즐비해서, 어릴 적 우리는 살금살금, 언제나 뒤꿈치 들고
지나갔다. 도둑고양이처럼
구름 같은 솟을대문으로, 거인 같은 머슴이 튀어나와
이 노오옴! 할까 봐

어머닌 머지미, 신홍** 물 건너 신작로 자갈길에 흩어진
사금파리 같은 이야기를
가을 볕살에 뛰는 메뚜기랑 찬 이슬 젖은 나락처럼 솔
솔 뿌리시고
우린 그 이삭 하나하나 주우며 여기까지 걸어왔지만
그 압권은 이것!

네 살 형은 걸리고
두 살짜리 날 업고 젊은 어머니, 인절미 해서 머리에 이
고 친정 가는데
가람 동네까지 벌써 십 리 자갈길, 형이, 까마득히 보일
락 말락
물 건너 갓말 너머 산자락에 숨은 외갓집 마을 보고 털
퍼덕, 주저앉아

한숨 푹 내쉬며 읊었더란다

— 외갓집 고마, 뿌사 뿌까!

고 어린 것이, 벌써
시를!

* 한강(寒岡) 정구(鄭逑) 선생의 종택이 있는 성주군 수륜면 수성
동 마을

** 성주군 가천면 강정에서 면소재지 가는 길에 있는 마을

# 도시락 뚜껑

서수찬

고등학교 시절에
건강기록부라는 것이 있었는데
우연히 반 친구들이 내 건강기록부를 보게 되고
거기에는 영양실조라고 적혀 있었고
그때부터 반 친구들의 도시락 뚜껑
순례가 이어지게 된 거라
넌 영양실조라 다른 사람보다
잘 먹어야 한다면서
내 도시락 뚜껑에 각자의 집에서
가장 특별하게 싸 온 반찬들을
한 젓가락씩 골고루 수북하게 담아
나에게 가져다주는 것이었다
그때 그 젓가락들의 순례를 나는
평생 잊지 못한다
내일도 그때 아마 정해진 게
아닌가 싶다
어딘가에 있을 감성의 영양실조에
걸린 사람들에게
도시락 뚜껑 같은 내 시에
우리 반 친구들이 내게 쓴 절절한 연서들을 그 반찬
들을

빠짐없이 담아 배달하는 일

그게 나의 일이 되었네

나 같은 사람에게 평생 잊히지 않는 한 편의

도시락 뚜껑이 되길 바라면서

# 잃어버린 선물
## ─ 휴지통

서정화

화면 속 손끝의 눈으로 점자처럼 훑고 가지

몇 해 동안 반짝이다 흐릿해지는 것들 명치의 두께만큼 쓰라린 파일을 열면 그 봄날은 환하게 웃다 우는 깊은 어둠이 되어 많은 어제가 자라나던 체온의 상처를 벌리다 사진이 빠져나와 어느새 뭉근해진 내 심장을 이상하다 누르려다 저장의 단축키에 산산이 쏟아졌어

일순간 캄캄해졌지

Shift + Delete

# 바늘

서현진

그해
전생으로부터 훅 날아온
나비 날개 무늬 속
뭉툭하고 쇠 비듬 핀 바늘
하나

열 살 당신이
이불 위의 바늘을 밟아 오른쪽 발바닥을 뚫고
내 심장을 찔렀을 때
죽지 않고 살아남은 건
뜻밖의 일

아이 하나 가슴에 품고
눈보라 몰아치는 베링해를 건넜던 당신과 나
바다 노을이 풀어 준 기억의 퍼즐 조각

철길의 아이와 들판의 아이를 이어 준 건

바로 그 녹슨 바늘

당신의 심장과 내 심장을 이어 줄

후생의 꽃

# 노스님의 우산

석연경

눈물이 그렁한 아흔 넘은 스님이
죽기 전에 선물을 받을 수 있다면
딸 역할을 해 줄 보살을 받고 싶단다
죽은 날 아버지, 하며 곡을 해 줄 딸
노스님도 고독한 사람이지
눈물 많은 나는 노스님 곡비가 되기로 했다
살아생전 무엇을 받고 싶냐 물으니
명절날 세배가 큰 선물이란다
명절에 세배를 올리니
곡비 딸에게 주는 선물이라며 우산을 준다
우산살이 튼튼해 여행 가서 사 왔다는 우산
아끼느라 쓰지 못하던 우산을
하늘이 울면 쓰고
눈물 날 일이 있으면 쓰라는데
내가 오히려 큰 선물 받았네
노스님 떠나시는 날 우산은 잠시 접어 두고
스님이 바라던 눈물이라는 선물을
소나기처럼 쏟으리
벌써 먼 산에는 엷은 구름이 흐른다

# 낙동강

성두현

사월의 낙동강은 순결하다. 나를 버리고 떠난 사람은 미소 한번 없이 떠나가고 아픈 만큼씩 절망하며 바라다본 강물은 모래사장에 세월을 그어 가며 머물고 있다. 짝짓기를 시작한 산꿩들이 그렇게 울어대는 자고산은 속절없는 진달래만 피고 있다. 잃어버린 유년의 서정(抒情)을 일깨우는 눈물빛으로 바라본 강물 위로 비늘을 털고 있다. 일렁이는 태양을 따라서 국민학교 동기생이 물에 빠져 죽었다. 그 여학생의 초롱한 눈동자가 섬뜩하게 나를 부르고 있다 잊어버리고 살아온 시간들과 잊으려고 애쓰며 살아온 날들이 힘겨루기를 하며 내 인생을 발목 잡고 있었나 보다. 낙동강 인도교를 건너 궁둥이산으로 송충이를 잡으러 갈 때의 동무들의 소리가 내 머리 위에서 정오의 햇살 그물을 던져 나를 포위하고 크게 웃고 있다. 하필 그날 그 여학생의 뒷목덜미에 송충이를 집어넣고 으깨 버린 가녀린 어깨에 비친 흰옷 푸른 자국이 선명하다 놀라서 파랗게 질린 그녀의 얼굴이 하얗다 못해 강물빛이 되어 나를 노려보고 있다 왜 그 학생이 그해 여름에 강물에 죽어야 했는지 수영 미숙이라는 이유가 이유가 되지 않는다 나는, 잡아도 잡아도 줄어들지 않던 송충이들이 어디로 갔는지 지금은 아파트촌이 거인이 되어 그날의 기억을 그늘로 내리깔고 앉아 있다. 도망갈 구실을 찾지 못한 나를 강물이 속죄하며 흐르고 있다.

　사월의 강물은 순결한 영혼으로 새벽을 일구고 부활
한다.

# 어쩌다 내게로 온 몽블랑 만년필   성선경

가물어서 너무 가물어서

시도 쓸 수 없다고 모두들 난린데

이구동성으로 난린데

시도 쓸 수 없다고 난린데

어쩜 이렇게 술술 잘 나오나 몽블랑 만년필

처음에는 이 몽블랑 만년필 월춘이 형 거였는데

어쩌다 내게로 와서 내 것이 되었는데

어쩜 이렇게 술술 잘 나오나 몽블랑 만년필

더운 여름이 너무 가물어서

편지 한 장도 쓸 수 없다고 모두들 난린데

이구동성으로 난린데

시를 어떻게 쓰냐고 난린데

어쩜 이렇게 술술 잘 나오나 몽블랑 만년필

어쩌다 내게로 와서 내 것이 된 몽블랑 만년필

금장이 빛나는 몽블랑 만년필

더운 여름이 너무 가물어서

엽서 한 줄 쓸 수가 없다고 모두들 난린데

어쩜 이렇게 술술 잘 나오나 몽블랑 만년필

처음엔 월춘이 형 거였는데

어쩌다 내게로 와서 내 것이 된 몽블랑 만년필

아무리 가물어도 금장이 빛나는

몽블랑 만년필

# 어제, 오늘 그리고

온몸으로 먼 길 돌아 황혼의 교차로에 서 있다
구부정한 길 여럿이다
녹색불 켜지자 서툰 발걸음
어제 일처럼 비틀비틀 선명하게 꼬였다
봄날 눈 녹듯 풀어질 거다, 하여
또 다른 마음속 끝나지 않은 연속극
나는 설렘 속으로 떠난다
푸들거리는 낡은 경유차를 타고
한 번도 가 본 적 없는 곳으로
어떻게 살아야 할지 모를 긴 여정 속
시간은 너무 일찍 허물어졌다
아픔도 기쁨도 잠시
뭘 하고자 한들 할 수 있었을까
숨었던 미움을 씻고 또 씻으며
오지 않은 근심 걱정 껴안고 있다
모든 것 다 지난 지금 내 몸에 어떤 흔적 남을까
스산한 길 위에 시샘하듯 매화꽃 날린다 그리고
다시 일어나리라 선물처럼

# 자판기 앞에서            송명호

울적한 마음 이기지 못하여 부석사 주차장 갈까 나서다 택배 온 수건 가지러 가다. 인도네시아산이다. 시커먼 블루 사다. 수건을 싣고 나니 부석사 갈 마음이 없어지다. 28km를 달리어 부석사 주차장 앞 자판기에서 500원짜리 차를 빼 먹고 돌아오는 일과 어긋난다. 목적 용도에 맞는 일을 했으니까

포기하고 소수서원 자판기 앞에 서다. 4대 중 3대가 사용 중지다. 사각의 얼굴로 기다린다는 게 고도우 같다. 자판기는 고도를 기다리는 에스트라공과 블라디미르이다. 사각의 얼굴은 기계주의에 갇힌 채 답답하고 무기력한 현대인을 대변한다. 신은 사실도 진리도 진실도 아닌 사기다. 사기 치려고 만든 진리의 강요와 이를 수용해 먹는 자들이 생산하는 뻔뻔스러움이 무지의 공간에 사각형을 만들기 좋아한다. 무지는 저 밤하늘보다 넓다. 만나기도 하거든, 좌우의 평행선과 상하의 평행선이 만나면 사각을 만들거든. 하여간 자판기의 사각은 인간의 얼굴이 아니다. 동전을 받고 상품을 판매한다는 기계적 동작은 고장 나지 않음으로써 역할에 충실할 뿐이다

자신이 타자에 의해 지배당하는 것도 모른다. 신에게, 또는 현대에, 미국에, 갇힌 인간군상이다. 고장 나는 날까지 기다리다가 교체되거나 버려진다. 자판기가 기억하는

고독한 밤은 무시당하고 버려진다

　귀뚜라미 소리에 귀 기울이던 정적은…… 어떤 발자국, 물끄러미 나를 바라보다 사라진 시간의 소리 따위는……

　문득 자판기가 된 나를 돌아보면서 위이잉 전동음으로 우는 소리를 듣는다

# 황홀한 블랙홀

무중력 진공 상태란
이런 것일까
두 번의 주말을 갈피에 끼운
십 년 만의 휴가
돌아온 일상의 스무 날이
장대비 스무 방울 정도라면
온데간데없이 사라진 거라면
아닌데,
머릿속을 뒤져 보고
구석구석 긁어 봐야지
그런데 뒤질 것도 긁을 것도 없이 증발한
감긴 눈 속의 행성들은 뭐고


무중력 진공 상태란
이런 것이겠지……
금 간 베어링을 회전하는 의자는
시끄럽기라도 하지
눈 속의 행성은
오라는 건지 가라는 건지
피고 돌고 지고 돌고
무엇이 얼마나 바뀐지도

바뀐 것이나 있을지 모를 지점에

투하된 결재판

숨의 지름이 반절로 줄고

풀린 손가락 사이로

새어 버린 스무 방울

정말 오랜만의 황홀한 블랙홀

# 화분

송은숙

그가 아프리카봉선화 화분을 주었다

아프리카봉선화꽃은 열두 가지 색이 있다

어떤 꽃이 필지 모른다

열기 전엔 알 수 없는 선물 상자 같다

나는 선물 상자처럼 아프리카봉선화 화분을 안고 다닌다

화분을 안고 버스를 타고

화분을 안고 밥을 먹고

화분을 안고 공원에 간다

백합나무 그늘에 앉아 그림책을 읽어 준다

너는 무슨 색 꽃이니? 가끔씩 속삭이고

보라색 꽃을 찧어 붙이면 손톱에 보라색 물이 들까? 가끔씩 갸우뚱거린다


선물 상자 안엔 다시 상자가, 그 상자 안에 다른 상자가, 그 상자 안에 또 다른 상자가 있다

그럴 수 있다

열두 번째 상자를 꺼내다 잠이 든다, 혹은 깬다


화분 안에 아프리카봉선화가 심어져 있다

아프리카봉선화꽃은 열두 가지 색이다

열두 가지 색 안에는 열두 개의 심장이 있다

백합나무 가지에 작은 새가, 작은 새 안에 연둣빛 벌레
가, 벌레 안에 가느다란 노래가 숨어 있는 것처럼

# 시시때때로

신세훈

— 民調詩.259

때때로

시시때때

시시때때로,

봄 강물 끓여 퍼 올려 갊는다.*

* '갊다'는 감춘다, 간직한다, 염습(殮襲)한다는 뜻의 고어.

# 입하의 보리밭

보리 이삭 패어 오르니
어김없이 제비 돌아와
깜부기 날리도록 낮게 비상하는
날갯짓 파랑에 봄이 달아난다

놀라움은
보리밭 고랑 줄달음질 치는
장끼의 잰걸음이다
해는 서쪽 산으로 기울어져 가는데
붉은 벼슬 위로 큰소리 짖어대니
보리 이삭이 푸르게 몸을 떤다

더할 나위 없이 좋은
숨김의 보리밭에
오래오래 봄을 감추고
사랑도 감출 수 있으련만

슬퍼할 겨를도 없이 봄은 멀리 가 있고
들녘 한 군데도 머물 자리 없어
맹탕으로 헛웃음 한 번
그새 강바람 따라 떠나려 하는가

# 회광반조(回光反照)

신정민

숲도 스스로 나무를 친다

저 큰 나무를 선택한 건 벼락이 아니다

죽기 전에 잠시 든다는 마지막 맨정신

쓰러진 줄도 모르고

지난 늦봄 그 산벚나무 꽃을 피웠다

숨 거두시기 전 내 이름 또렷하게 불러 주셨던 아버지

벌목공도 마다하는 숲에

해 지기 전 잠시 환한 저녁이 찾아와

사력 다해 핀 꽃들에게 귀를 빌려주고 있다

몸이 익힌 건 잊히질 않아

넘어지며 들었을 첫 우렛소리

한 번 더 꽃 피울 수 있을까

# 상식파 양심렌즈로 본 세상

신현림

1. 홀로 떨어져 보면 더 잘 보여

함께 흐르면 외롭지는 않아
함께 있어 따스하나
보려는 것만 보니 전체를 못 보고,
아는 게 틀려도 모르겠지 한 발
물러서서 옳고 그름이 제대로 보이는
어항 밖에 섰어
외로움은 슬픈 게 아니야
외로움은 자유의 바람 속이야
외로움은 나를 깨워 나를 지킬 기회야
무지개까지 뜨면
하늘에서 달콤한 벌꿀이 떨어져

하늘 보고 먼 바다를 보면
어항 속이
얼마나 비좁은지 알 거야

Inspired by Damien Hirst, Isolated Elements Swimming
in the Same Direction for the Purposes of Understanding
의사소통을 위해 한 방향으로 흐르는 고립된 존재들, 1991.

2. 솔잎차_백신해독제 선물을 싸다가

푸른 솔잎차 선물을 싸던 중이었어. 밖을 보니 주사기
만 한 비행기가 날고 있었지 머나먼 하늘 끝까지 슬픔이
해를 가려도 우울한 웅덩이에 빠지지 말자고 다짐했어 푸
르른 솔잎 따다 차도 끓여 봤어 우리에게 알려진 가장 강
력한 항산화제 중 하나고 슈퍼 푸드래서 다시 보이네 붉

은 적송이면 더 좋았겠지

솔잎처럼 길게 눈물이 나는 건 사람들이 소용돌이치는 나라 일을 깜깜히 몰라서야 그동안 자유했던 풍경에 젖어 못 나오는 거야 솔잎처럼 길게 눈물이 흐르고, 떨리는 손으로 백신 산화그래핀 해독에 좋다는 솔잎차를 선물 싸면서 기도했어 주사 맞은 이들이 꼭 낫게, 슬프지 않게 해 달라고

PS. 처방약 …F에 ㅇㅇㅈㄱㅅㅊ균…강아지구충제…를 한 달간 1주일 하루 한 알씩 3일 복용. F. M. A. J…솔잎차 공복에 하루 3잔, 보리차, 유산균, 김치, 비타민B, 비타민D, 아연, 글루타티온 꼭 챙겨 드시면 좋아진답니다. 아침 공복에 마늘물, 생강, 카로티노이드, 셀레늄 등 여러 항산화 음식을 함께 먹으면 시너지 효과가 크답니다.

# 모르겠다

신현수

— '규하'라는 선물


누군가의 이름을 불렀을 때
나도 모르는 사이
목소리가 한 톤쯤 저절로 올라간 적이 또 있었는지
모르겠다
누군가를 안았을 때
그의 쿵쿵 뛰는 심장 소리를
내 온몸으로 느꼈을 때
그 소리가 고맙고 또 고마워
주르륵 눈물 흘렸던 적 또 있었는지
모르겠다
달이 어디 떠 있느냐고 물었을 때
밤하늘에 뜬 달을 가리키며
내 손을 보라고 한 사람이
또 있었는지
모르겠다
어른들이 만든 몹쓸 역병은
고작 세 살 영혼도 피해 가지 않아
면봉이 코 깊숙이 들어왔지만
울지 않으려고 참고 있던 모습을
바라보았을 때
살면서 그것보다 참혹한 장면이

또 있었는지
모르겠다
밖에 나갈 때 스스로 입마개부터 챙기는
규하를 보며
어른들이 지구에 지은 죄를
영문도 모르는 아기가 왜 대신 감당해야 하는지
모르겠다

# 2021년 나에게 온 선물

안명옥

비 내리는 날 퇴근을 하고 집에 오니
아들이 핸드폰을 닦아 주고 저녁을 차려 준다


집안의 액운을 다 막아 준다는 남천 화분을 받은
잘 풀리는 집 두루마리처럼 한 고비를 넘긴다


오랜 시간 취업 준비로 마음 고생했던 아들
너의 취업이 내겐 최고의 선물이더니


아들의 여자 친구
딸의 남자 친구가
내겐 또 다른 선물이더라


퇴근하고 온 딸아이가 현관에서부터
엄마 하고 정겹게 부르며 달려와 품을 파고든다


아침마다 내 머리를 드라이해 주고 눈썹도 그려 주고
염색도 해 주는 딸아이
주말에 반려식물들과 시간을 보내면
아직 자연과 먼 딸은 반려식물마저 질투를 한다

아들이 준비한 달걀프라이 두부김치로 저녁을 먹고
딸아이랑 나란히 누워 스트레칭을 한다

세상을 다 가진 것 같은 밤이 지나고
아침은 잠든 머리맡에 새소리를 떨구어 놓는다

비가 내리는 오늘
푸른 하늘을 선물로 받고 싶어지는, 나는

# 나 이 별 떠날 때 가져갈 선물

안성길

인생살이 힘들다 힘들다 해도 그분들만 하겠어요
세상 누구보다 힘겨울 뇌사 환자 보호자께 감히
장기 기증 권유해야 하는 우리 일이 암만 힘들어도
그중 가장 힘들지 않은 건 나니까 다시 맘 다잡는다는
tvN 유퀴즈 신혜림 장기이식 코디샘 편 보기 전엔
이 별에 왜 왔는지도 모른 채 산골짝이며 들길
터벅터벅 발길 닿는 대로 살다가 큰애 세워 두고
운전대 잡고 앉아 문단속 잘하란 말 한마디가 그렇게
입안에만 맴돌더니 덜컥 나가던 대학마저 팽개치고
21세기병원 삼 층 인공신장실 이삼 일에 한 번
보리고래 심해에서 숨 쉬러 떠오르듯 쳇바퀴 돌았다
담당의 선생님은 가족도 안 맞는 O형이니 귀하긴 한데
그렇게 한 십오 년에서 이십 년 착실히 버티면 간혹
생각보다 빨리 차례가 올 수도 있다며
이마저도 못 해 보고 가는 수도 많다며 지금이라도
이리 챙기니 잘되실 거란 여운에 기대던 초저녁
울대병원이식센터 코디샘 연락에 재입원 수속 밟고
얼결 일사천리 검사 대기 후 장장 여덟 시간 대이식 수술
아, 나는 그렇게 이 아름다운 녹색별에서 언제든
놋수저로 감자 눈 도려내듯 깔끔하게* 떠날 궁리였다가
국립이식센터로부터 검사체 100% 일치 몇만분의 일,

믿기지 않는 기적 끝에 새 삶을 명 받았다 아내는 기어코

눈가가 다 젖었지만 무균실에 멍하니 누워 눈물도 안 나왔다

내 주위 어려움 아랑곳 않고 분명 막살았는데

부끄럽게도 받을 아무 자격 없었지만 기왕지사 받았으니

그저 열심히 살아야겠다 곱씹었는데 의욕만 앞섰는데

우연찮게 매번 힘들면서도 가장 힘들지 않은 건 나라는

이식센터 코디샘 보고서야 이 별 이슬같이 착하게 맑은

빛나는 저 이마 수많은 신혜림처럼 산다면 그리고 때때로

그 기억 내 심장 가장 한갓진 벽에 새겨 이 별 떠날 때

선물로 가지고 간다면 그럼, 그분께 더는 부끄럽지 않으리.

* 송은숙의 시 「깔끔하게 지구를 떠나는 방법」에서 따옴

# 어머니의 선물

안오일

점멸하는 기억의 빛으로
무작정 폰 단축키를 눌러서는
네가 누구냐?

단번에 막내로 간 적이 없다
늘 둘째였다가 셋째였다가……
먼 길을 돌아 간신히 붙잡곤 하는

모든 것들의 경계가 무너지고
온통 뒤엉켜 버린 삶의 이력을
애써 더듬어 보는 어머니

한 시간 전의 만남은 까마득하고
오십 년도 더 된 풍경은 어제처럼 그려내는데,
오늘은 또 생의 어느 자락을 다녀오셨는지
어렸을 적 내 별명을 부르신다

부유물처럼 떠도는 기억들이
어느 순간은 통째로 가라앉았다가
또 어느 순간은 기적처럼 퍼즐이 맞춰지는
어머니의 바다

막내야 그라고 바쁘냐?
한 번이나 왔다 가그라,

병원 가시기 전 하셨던 말씀이
이토록 간절하게 받고 싶은 선물이었음을
그때는 미처 알지 못했다

포장을 풀어 보지도 못한 채
구석에 방치하다 잃어버린,

# 달빛 한 잔에

안익수

기억 속에 넘어진
죽은 가지를 치우며
살아가야 할 신발을 신는다
오늘의 삽질을 줍다가
달빛 한 잔을 마시고
어제 핀 백일홍의 입술을 따면
떡전교 아래로 비눗물이 흐른다
에덴의 방앗간도
물을 발라 떡을 치는지
골목길의 계단은 숨이 차다

다시 문을 열면
정류장의 시간표는 선물이 된다

# 사라진 매미

양수덕

울음과 노래가 한 잎사귀에서 익어 갔다
목청껏 그렇게 뜨거운 날들이 모아졌다


눈치를 밀어낸 소리들은
남의 귀를 더럽힌 적이 없었다


털리는 것과 부르는 것 사이에는 물오른 식탁
술잔의 남은 술을 음미하듯 노래를 놓치지 않았다


울음이 짙어질 때에도
삶의 찬가는 숲 그늘을 흔들곤 했다


둘의 심장을 앉힌 잎사귀들이 손바닥을 마주치자
목마른 금빛이 쏟아졌다


호스피스 병실 창으로 종이 해가 매달렸다
살아 있음이 선물이었다는 짧게 간 그 사람
목마르지 않은 금빛 빈자리

# 인류가 떠안은 두 개의 선물 양원

코로나 바이러스가
어떤 경위로든 느닷없이 발현한 이유로
사람들이 창살 없는 감옥으로 끌려 들어가
피폐해진 일상이 벌써 두 해 가까이 되어 간다
마스크로 입과 코를 가린 채 눈만 껌뻑거리며
불분명한 발음으로 어렵게 몇 마디 건네며 산다

하루 벌어먹고 사는 밥그릇들은 곯아 있고
기회를 포착한 자본은 더 높게 부풀어 올라
세상의 빈부격차는 나날이 커져 가고 있다

바이러스 감염을 피하기 위해
접촉을 피하는 거리두기를 하다 보니
비대면 모바일이 일상이고 화상회의가 유행이다
나무숲 산책길에도 공원 달리기에도
가쁜 숨에 부푼 마스크는 찰싹 달라붙어 있다
마스크를 얼굴에서 벗겨내지 못한다면
이러다가 인간이 영화 속 우주인의 형상으로
변해 갈 수도 있겠다 싶다

빙하가 녹으니 해수면이 상승하고

툰드라 언 땅이 풀리니 잠자던 미생물들이 살아나고
산불이 번지는 곳마다 동식물이 죽고 마을이 불타고
태풍 허리케인 사이클론 윌리윌리가 인간들을 후려
친다
한발과 비바람이 해를 걸러 농작물을 해치는
지구가 일으키는 괴이한 오작동에
지난 물 심판과 미래의 불 심판이 역력하다
"해가 권세를 받아 불로 사람들을 태우니"*
지구로 떨어지는 불덩이를 막기 위해
사람들이 뒤늦게 부랴부랴 동맹을 맺어
재생에너지의 숨은 힘을 찾아내고
수소 신에너지의 이용법을 공유하기 시작했다

백신 접종이 시작되면서
바이러스의 기세를 누그러뜨리고는 있다지만
백신 격차를 해소하는 데 많은 시간이 걸리고
일부 접종 거부가 엄연히 있는 현실에서
집단면역이 달성되었다며
코로나와 함께 살자는 제안은 아직 불안정해 보인다
형체를 숨긴 적은 속성상 변이를 거듭할 것이고
집요한 공격을 멈추지 않을 것이기 때문이다

더 강력한 신종 바이러스 괴물들이
더욱 빈번하게 급습해 오리라는 우려도 있다


물에 빠져 죽고 불에 타죽는
총탄 난무하는 죽음의 전장 한복판에서
피 흘리는 생존을 거듭해 오는 미물 인류가
같이 살아갈 삶의 지혜를 찾아가고 있다
지구를 식히려는 노력에 나섰고
서기 2019년에는 바이러스의 교훈까지 얻었다


빙하기를 망각한 종잇장 짧은 목숨들이
만물의 영장이라며 질러대던
무례한 오만에서 차분해진 사리판단으로
지배 욕망에서 헤어 나와 상생을 일깨우며
대대로 후손들과 또 그들의 후손들이
지구를 지켜내며 지속적으로 번성할 수 있는
지혜의 큰 선물 두 개를 안아 든 것이다

# 가장 큰 선물

양정자

— 현미정 씨에게


당신이 직접 길러 보내 주신 여러 가지 봄나물을 받고
우울한 내 마음에도
모처럼 봄의 향그런 냄새가 가득했습니다


두릅과 엄나무순 곰취와 참나물
어쩜 당신의 향그러운 마음 그대로입니다 더구나
젖은 신문지에 차곡차곡 사서 보내 주신 초피 잎들은
얼마나 오묘한 맛이었는지요


도자기 빚는 틈틈이
살림하랴 정원 가꾸랴 텃밭 돌보랴
그렇게 바쁜 중에 잠깐씩 틈을 내어
가시 많은 가지 사이사이로 손 긁히며 일일이 초피
그 어린잎을 하나하나 따 모았을 당신
어찌나 고맙고 미안한지 가슴이 아플 지경입니다


당신이 보내 주신 귀한 채소 덕분에
온갖 나무와 야생 꽃으로 뒤덮인 당신 집의 정성스런
정원과
제주 갈 때마다
거기서 즐겼던 아름다운 기억들이 꿈같이 떠오르는

군요

　생각만 해도 가슴 뻥 뚫리는 초록 잔디의 그 운치 있는
정원
　늙은 팽나무의 든든한 그늘과
　귀한 매화나무, 회화나무, 팥배나무, 먼나무, 산뽕나무,
붓순나무 잎새들도
　무화과, 산딸나무 열매 맛도 거기서 처음 알았지요
　거기 작은 연못의 밤에 핀다는 수련(睡蓮)도 보고
　온갖 야생화들, 풀솜대, 물매화, 방울꽃, 범부채, 산자고,
산당화, 부처꽃, 마농꽃, 은방울수선화도 처음 보았습니다

　또 부부가 손수 지었다는 소박한 그 집
　집안 곳곳에 정갈한 고요함을 가득 깃들게 하는
　말 없는 은자처럼
　고고하고 외롭고 간절한 고 선생님의 도자기들

　그에 못지않게
　우리 살림살이를 더욱 멋지고 맛나게 하는
　질박한 당신의 생활도자기들도
　당신 집안 분위기를 더욱 풍요롭게 하는군요

그러나 무엇보다 내게 가장 큰 선물은
강직하고 타협할 줄 모르는 꼬장배기 진짜 예술인
그 반골 정신이 형형한 고 선생님을 만나고

언제 찾아가도 단 10분이면 맛깔나는 술상을 차려 내는
(쇠비름, 하수오, 삼색 나물 장아찌는 얼마나 깊은 맛이
었는지요)
늘 부지런하고 마음 넉넉한 당신을 만나게 된 것이
내 생애 가장 큰 선물입니다

고맙습니다

# 선생님의 가방

여국현

꿈에 선생님의 가방이 보였다
선생님 떠난 빈 책상에 덩그마니 놓인 갈색 가방

젊은 시절 선생님을 뵈러 오는 길은 멀었다
야간 비둘기 열차를 타고 아홉 시간
백삼십여 개가 넘는 굴을 지나 도착한 청량리
역전 식당에서 아침 국밥을 말아 먹고
대학로 연구실에서 뵌 선생님의 말씀은 한결같았다
좋은 직장 놔두고 뭐 하러 사서 고생을 해
밤길 천 리를 달려온 제자는
국화차 한 잔에 담긴 그 말씀만 듣고 내려갔다
삼 년째 문을 열고 나설 때 덧붙이셨다
하고 싶으면 해야지 대신 제대로 하게
그 한마디가 듣고 싶었다
나른한 오후 가끔 들러 그 말씀을 드리면
좋은 직장 놔두고 뭔 고생이야 하시며 웃으시던 선생님
퇴임 후 얼마 지나지 않아 영영 뵐 수 없게 되었을 때
손때 묻고 색 바랜 책 몇 권과 함께 내게 남겨진
선생님의 낡은 밤색 가방
강의를 시작하고 내 어깨에 꼭 붙어 다니다
오래전에 선생님 따라간 그 가방

꿈속 선생님의 가방이 조용히 내게 물었다

제대로 하고 있냐고

# 미안한 일

오영자

꽃을 사다가
다듬어서
꽂아 놓고 파는 일

꽃들은 각자의 색깔대로
한껏 뽐내고 웃고 있다
한 송이에 사천 원, 오천 원
가격을 매겨서 파는 일은 슬픈 일이다

정해진 가격 없이
필요한 사람에게
때로는 덜 받고
때로는 더 받고
때로는 공짜로 주면 어떨까?

가격을 매겨서
꽃을 파는 일은 세상에서 가장 어렵고 미안한 일이다

# 귀 쟁쟁 울리는 말씀들

오하룽

— 음료수 선물

인사차 들른 친지들이
들고 온 음료수 선물들
건강하시라 오래 사시라
귀 쟁쟁 울리는 말씀들

걸쭉한 건강 전문가들
가공한 것은 좀 그래요?
무난한 것은 맹물이지요
귀 쟁쟁 울리는 말씀들

# 가족사진

옥세현


생의 한가운데를 뜨겁게 지나갔던 시간들이 나를 용서
해 주던 날
오래된 가족사진을 만났다


사진 속 등 굽은 그림자들에게
내 것이 아니었던 사랑을 되돌려 주고 싶은데
아마도 다음 생에서나 그럴 수 있을 것 같다


그때까지 가족사진은 안녕하길

# 과수원 마님-임천한흥.107 온형근

지가 좋아 삽 들고 버스 타고 다니더니
아뿔싸 이런저런,
실물이란 살아온 세월이 지어낸 집이라는데

제천 친환경 자연농법 고품질 장원 사과
그가 지어낸 과수는 세상에 없는 문물
홍로 사과였지, 추석 전에 큰 정성 모아 선보인 게

밀봉한 택배 사과 상자 뛰쳐나온 향은 복도 가득
한 입 베어 문 즙액 가득 찬 맛은 숨넘어갈 듯

주돈이의 향원익청(香遠益淸)도 옛말
들일에 마시던 탁사발도 잠시 잠깐 멀게 한다

# 별 별 별스러운 선물

우동식

스스로 빛나지 않는 것은 별이 아니래 스타(star)는 스스로 빛나야 해 별지기 선생님 말씀에 별 하나 가슴에 박혀 돋을볕처럼 환해지는 것이다

해토머리에 면도날 같은 소소리바람이 불어 생명이 움츠리고 있을 때 여수 자산공원* 모서리 양지 녘에서부터 개불알꽃 푸른 잔별이 무더기로 피어 해무를 깨우며 봄을 부르는 거야

그곳에서 바라보는 종포나루 해거름에는 물 위 은빛으로 반짝이는 까치놀별도 가담가담 만나지만 밤이 저뭇하면 은하수 흐르는 광양만과 가막만 사이 종화동 해양공원 밤바다는 하릴없이 휘황찬란한 물빛 달빛 불빛 윤슬과 홀로그램의 별똥별이 용천(龍川)을 이루거든

보이지 않는 바이러스가 보이는 세상을 통치하는 별난 세상의 가을에 우리는 자산공원 애기단풍잎이 만드는 별도의 별도 보게 돼 붉게 물든 단풍잎별 모자이크도 기똥차지만 그 잎과 잎 사이 만들어지는 허공 속의 별의 별들이 별스럽게 더 반짝이는 거야 땅바닥에 뒹구는 별것 아닌 단풍잎마저도 마지막 생을 회오리치며 유별나게 장식

하는 별천지가 되지

몇 해 전 그해 겨울 광화문 거리에서 별안간 별이 된 사람들의 별빛 축제로 세상을 바꾼 것처럼 임진왜란 그 어둠의 터널을 지나며 스스로 별이 된 충무공 별칭의 장군 동상 오른손에 들고 있는 북채가 지금도 공원 정상에서 진군의 북을 울리면서 민족정신의 샛별이 되고 있지

별의 순간들은 멀리 아득한 것이 아니라 촛불 하나 든 당신의 것 마음이 어둡고 캄캄하다고 생각될 때 별말 없이 이곳 자산공원 별채에 올라 보면 별스러운 평생 선물이 되어 헤모글로빈 색소처럼 네 안에 흐르며 너의 눈빛을 밝힐 것이다

스스로 빛나는 그대를 위하여! 식아! 희야, 자야, 숙아, 아니?

* 전남 여수시 종화동 자산 일대에 조성된 시립공원. 국내에서 가장 큰 규모의 이충무공 동상과 충혼탑 팔각정 전망대 등이 있다. 엑스포공원, 오동도와 거북선대교, 장군도, 돌산대교 등 여수 종포 해양공원 밤바다가 한눈에 보이는 최고의 조망권을 가지고 있다.

# 저녁놀

유강희

— 손바닥 시

아, 마음도 아닐 때
하늘의 저 붉은 것,
누구의 선물인가

# 팔레트에 담은 풍경

유순덕

오늘은 오솔길을 걷다 좁은 길모퉁이에 앉았습니다 무릎 사이로 묻은 얼굴이 뜨거워, 물빛 닮은 당신 얼굴에 담가 봅니다 당신과 내 몸이 걸친 옷 모양이 다르다고 수군거리는 세상 더는 두렵지 않습니다

불란서로 떠난다는 소식을 들었습니다 떠나는 당신을 붙잡고 싶어 매일 밤 당신에게 달려갑니다 가난한 내가 줄 수 있는 유일한 선물입니다

큼지막한 팔레트에 풀어놓은 묵언의 고백들은 금지 없는 세상을 향한 내 방식의 사랑입니다 당신 홀로 가는 길에 물고기를 보냅니다 이따금 등을 타고 꿈속에 와 주시렵니까

마음을 다해 그려 보낸 수많은 엽서들과 화살들이 어디에 가 닿았는지 소식이 무언합니다 우리가 함께했던 연둣빛 풍경들이 등성이 오솔길을 돌아 저만치 사라집니다

* 중섭은 남덕에게 아끼는 팔레트를 선물했다.

# 능이버섯

— 산이 주신 선물


나를 만나고 싶거든 산으로 와

바람이 나비춤을 추는 높은 산 능선 타고 올라와

산문을 지키는 독버섯이 검문을 할 거야

참나무 가족이 그늘 농사를 짓고 있을 거야

수정란풀이 까치발을 디디며 반겨 줄 거야

능선에서 살짝 벗어난 비탈진 곳에서

우듬지와 우듬지를 쓰다듬는 햇볕과 숨바꼭질을 하고
있을 거야

눈을 감으면 나를 찾을 거야

나의 향기와 효능으로 사심을 사려거든 조심해

네가 밟은 잔돌이 비탈 아래로 굴러떨어지는 소리에
놀란

독사가 독하게 혼내 줄 거야

속 좋은 사람만 가질 수 있는

나는 높은 산이 큰맘 먹고 내어 주는 선물이야


나를 받아 가고 싶거든 빈 배낭처럼 올라와

# 순한 짐승 – 복효근

유용주

지리산 자락에는 호랑이가 한 마리 산다
컴컴한 동굴에서 마늘과 쑥으로 인내하다가
참지 못하고 뛰쳐나온,
사람을 해친 호랑이가 아니라
사람을 도와준 착한 호랑이다

지리산 자락에는
사람으로 변한 곰 한 마리가 산다

# 복숭아나무 아래

유진택

과수원에는 복숭아를 따는
늙은 누님이 있다
생전의 노모처럼 굽은 허리를 펴며
누님은 복숭아를 딴다
복숭아에 검은 반점 번져
시장에 내다 팔아도 돈도 되지 않겠다고
구시렁거리던 누님의 얼굴은 반이 그늘이다
장마에 농사를 망쳤다며
누님은 밭둑에 퍼들거리고 앉아
하늘에 대고 시부렁거린다
누나의 잔소리에 열 받아
바람이 멀쩡한 나뭇가지를 흔들어
낙과로 만들었던 지난 저녁
바닥에 굴러다니는 복숭아가
단풍처럼 황홀했지만
누님의 얼굴에 번져 가는 저승꽃이
복숭아의 반점 같아 괜히 슬퍼졌다

# 닿지 못한 선물

유현숙

바람과 안개와 놀빛으로 물든 하늘과 빗소리와

낮은 기도와

깊은 행간을 독해할 수 있는 말랑한 자유

가장 먼 곳의 나뭇등걸로부터 여기까지

수혈된 듯

파동 치는 거친 숨결에는

얇게 저민 청귤 향내가 납니다

생애 다하는 날까지

그 이름 몇 번이나 부를 수 있을까요

숟가락 달그락거리며 몇 번의 식사를 할 수 있을까요

꽃 핀 배롱나무 아래를 언제 다시 걸으며

배롱꽃빛으로 우련하게 물들 날 올까요

별빛을 밟으며 함께 돌아갈 곳이 지상 어디에 있을까요


……그런 다음


호롱 불빛보다 낮은 조도로 남아 있는 시간 앞에

천 리 길도 뇌성처럼 달려가

경배하듯

그 안에 스며들

긴 연모

긴 슬픔

그 자디잔 가닥을 감아올려

밤새워 베를 짜야 하는 형벌이어도

이것은 선물일까요

바르고 어진, 절체절명의 이름 하나 보듬고

# 녹원정사 밥집

윤석홍

틈수골 따라 올라가면
경주 남산 고위봉 아래
녹원정사라는 절집 같은
살가운 밥집이 있다

절에서 먹는 밥처럼
정갈하게 채식으로 꾸려진
밥상은 이 밥집 별미다
이 처사 부부가 지어 내는
절 같은 밥집으로 알려진
이곳에 공양하러 찾아온다

절 같은 밥집엔 부처가 없다
밥 공양하는 모두가 부처다
법당도 없고 풍경도 없는
이상한 절 같은 밥집에
힘들게 걸어 올라온 사람들이
천룡사 석탑 향해 손을 모은다

이 절 같은 밥집이 없어질 뻔했다
겨우 살아난 질긴 밥집이다

넉살 좋게 웃으며 밥 짓던 그 보살님
밥심이란 선물을 주시고 적멸에 드셨다

# 마도(馬島)

이강산

이 바람이 내게 오는 마지막 손님이라는 생각으로
바람의 손끝에
마음을 올려 두고


돌아서서


이 마지막이라는 생각조차 품지 못한 사무친 사람의
밀물 드는 소리에


돌아서서


이 바람이 내게 오는 첫 손님이라는 생각으로
바람의 마음에
손끝을 올려 두고

# 천상의 선물

이다빈

아빠는 너의 살내음에 취해
뼛속까지 껴안는다
엄마는 너의 분홍 마음에 취해
온몸으로 젖는다

어린 벗이여
모진 세월 피리 불며 너를 기다렸다
가만가만 꿈길 걸어오는
너의 낮은 아우성 들었다

아빠는 너에게 세상 전부를 주고 싶은데
엄마는 너에게 자신조차 내어 주고 싶은데
너는 이유 있는 반항을 한다

한 발짝 내딛을 때마다
푸른 하늘처럼
밝은 태양처럼
눈 골짜기 우뚝 선 소나무처럼
아무도 모르는 그 이름을
너 홀로 쓸 것이다

# 밤

이도영

한창 소독 중이다
진종일 말썽만 부리던 하루를
당직자가 남아서
숯가마에 불을 지핀다
참나무로 만든 숯은 귀신도 아주 무서워해서
얼쩡거리지 못한다
거룩한 공간에서
기다란 혀를 가진 이끼가 원단인 때수건이
두루마리 휴지처럼 풀린다
구정물이 별빛을 타고 흐른다
잇몸으로 씹어 넘기는 이유식이
받침 없는 비음과 유음으로 출렁인다
최초 옹알이를 시작했던 혀가 떠든다
순한 귀가 열린다
착해진 몸뚱아리가 착한 소리들을
듣는다
'또 그러지 마라'
정갈한 아침이 물어보는 암호가
이제는 문장이다

너도 그러는가

우리의 모국어가 다른데

소통에 어려움이 없는 걸 보면

아마도 중간 언어를 사용하는 듯하다

오류투성이의 흥얼거림으로

여전히 괜찮다는 말을 또 듣는다

불순물들을 제거하는 따끔거리는 과정

을 계속 모른 척하는

내가, 어른이 될 때까지

조금만 조금만

# 바람의 선물

씨앗 한 톨 심은 적 없는
추녀 밑에 생글생글
다홍빛 채송화 피었네.


돌담장에 널어놓은 손수건
훔쳐 간 봄바람, 고놈이
나 몰래 흘리고 간 선물이구나.

# 마쯔리라는 장미

마쯔리*라는 장미가 핀다
새빨간 고막이 가지마다 웅웅댄다

드디어 팡파르가 울린다
그때 인공호수는 나를 고용하고 창출한다

화려한 화훼단지 관상용 꽃에게 시급을 받는
나는 축제 직전 일용직 노동자
출몰년도와 나이를 모르고 실명을 쓸 줄 모르는
새빨간 문맹

나는 나무의 최저생계군
4인 가구 소득에 가장 부족한 건
햇빛이라는 궁벽

검고 조악한 치아로
배달된 일회용 도시락이 나를 섭취한다

팬지들의 어록을 심으며
연로한 잉어들의
경축사를 대신 뻐끔거린다

오늘은 미세먼지에 비구름 탑재하기
꾀꼬리 성대 보수하기
연막탄에 무지개 띄우기를

오전 내내 수행하고는
쉬는 짬에 애드벌룬을 타고 잠시 졸았다

그리고 오후에는
휠체어 바퀴에 태양 장착하기
빽빽대고 우는 유모차 영아를
공갈 젖꼭지로 부풀리기를
원숙한 솜씨로

그러나 무엇보다 내가 좋아하는 일은
이인용 물자전거에 미아 명찰 달아 주기
물의 페달에 지느러미 붙이기

부력이라는 걸 애초부터 믿지 못하지만
때로 이 사회를 물 위에 옮겨 놓는 걸
무엇보다도 좋아한다

가끔 전폭적으로 일하다 반대편을 보면
손톱의 거스러미 밖으로 제트 분수가 솟는다

검은 손톱 속에
축제라는 이름의
개량종 마쯔리라는 장미가 자라난다

무미건조한 얼굴에
장미수 마스크를 하고 잠든 물결들

찢어지는 천막과
쏟아지는 가판대
통통 튀는 동공의 언어들

　그러면 내생에 물고기로 환생한 사람의 이야기를 듣고
싶어
　일을 중지하고 물속을 들여다본다

　당신의 물고기 얼굴을 발권합니다
　당신이 몰랐던 멋진 어류의 감정을 즉석사진으로 인화

도 하고
그려 드리기도 합니다
그만 연미복을 벗고 이 속에서 유영해 주십시오

지금 나는 이곳 일용직 물고기로
부지런히 쏘다니며
겨우내 부서진 수면을 열심히 뻐끔대며 손질한다
마쯔리라는 장미를
머리에 꽂고

* 마쯔리(まつり)는 축제라는 뜻이다.

# 햇살 한 줌 보내나니

이복현

가난한 내가, 그대에게
별반 드릴 만한 선물이 없어서

잔설 남은, 이른 봄 양지 녘에
축복으로 내리신
햇살 한 줌

아기 손바닥 같은 떡갈잎에
고이 싸서 보내나니

씨앗 고운 님 만나서
싹 틔울 일 있거든

가만히 꺼내어서
비추어나 보소서

# 어디 계시는지

이상국

내가 아잇적에
부모님이 받아 주긴 하였는데
보낸 이는 아직 미상이다.
먹고 싸고
사랑하고 울고불고
내 손으로 대통령도 뽑으며
포장을 끄른 지 70여 년이 지났지만
그게 무엇인지 아직 모른다.
모서리는 닳고
눈물은 마르고
심술은 고래 같고 피는 흐릿해서
어디 성한 곳 하나 없어도
이 선물을 오래 간직하고 싶다.
부모님도 가신 지 오래되었고
보낸 이는 어디 계시는지
아끼고 아껴 쓰다 망가지면
새걸로 한 번 더 받았으면 좋겠는데……

# 오이 선물

이상인

그 선물은 허공에 매달려 있곤 했다.
늦은 봄볕이 좋던 날
웃시장에서 몇 포기 사다 꾹꾹 심어 놓고
가끔 물을 준 것뿐인데

세워 준 지팡이를 짚고 일어서더니
곧바로 꽃을 보여 주었다.
선물을 보내기 시작한다는 신호였다.
그 선물은 허공 어딘가에서
서서히 빠져나오기 시작해서
어느 순간 길쭉하게 매달려 있었다.

누군가 허공 저편에서
싱싱한 오이를 이쪽으로 밀어 넣어 주고
그러면 나는 정말 고맙게 받아내는 일이
여러 날 계속되었다.

그러니까 오이 줄기는 배달부라고나 할까
싱싱한 선물을 너무 많이 배달해 주어
감사하고 미안해서
가을무를 심기 위해 뽑아내기 전에

어머니 손 같은 깡마른 줄기를
그저 오래 잡아 주었다.

# 도로 위의 선물

이성자

운전하고 가던 아빠가
갈림길 앞에서

이쪽인가
아니 저쪽으로 가야 되나
잠시 망설이는데

도로 위의 분홍 선이
따라오라며 안내한다

― 누가 저 그림 보냈을까?

가는 길 헷갈릴까 봐
미리 그려 놓은 생명의 선

# 운수 좋은 날*

이소암

코스모스 봉오리 절로 터지고
도라지꽃 몽우리 찾아 터트리고
맘속 응어리 뒤져 모다 터트리니
오호라, 우주보다 큰 선물 오네
도무지 그 무엇도 그립지 않은,

\* 현진건의 소설 제목을 차용함

# 은총의 전달자이신 성모님

이소율

영세 받은 날
선물로 받은 성모님상
서서 기도하신 지
삼십 년이 넘었습니다

로마 군인들의 잔혹한 채찍질에
피가 솟구치고 살점이 떨어져 나가
정신을 잃은 아드님을 보고
가슴이 찢어지는 고통을 겪으신
성모님 앞에서
청원으로 절규하기에 바빴습니다
죄송하고 사랑합니다

제 죄를 대신하여
먼지를 덮어쓰신 성모님
목욕을 시켜 드리겠습니다
찌든 하얀 머릿수건
옷 주름 사이사이 고인 먼지
제 하소연 들어 주시느라
못이 박혀 아픈 귀
통통 부은 발

정성스레 씻겨 드리겠습니다

개운하신지
맑고 그윽한 눈으로 내려다보시는 성모님
가슴에 품고 볼을 비볐습니다
어머니가 살아 돌아오신 듯
포근하고 벅찼습니다
사랑과 용서를 실천하며 살겠습니다

# 보자기, 보따리

이숙희

그때도 사람은 살았다

문 열면 부엌문 부엌문 열면 방

연탄 피워 밥해 먹고 살았다

출입문이 마당을 바라보는 둘째 방

책 보따리 들고 자취를 시작한 청주 학생

텃밭 토마토 한 알 맛볼 줄 모르는

조용하고 어설픈 자취생

어머니는 연탄재 실은 리어카를 자주 끌게 했다

가을이 오고 군 입대로 방을 비우는 둘째 방

짐이 늘어서 이불 보자기 빌려주면

제대 후 들른다는 어눌한 약속

야박한 어머니

연탄재 위 이불 보자기 놓고 돌아서는 딸

고집 센 뒤통수에 어머니는 눈총을 쏜다

어머니 인생에 딸은

청주 학생이 받은 이불 보자기일까

어쩌지 못하는 보따리일까

# 선물

이영춘

할머니 돌아가실 적

손안에 꼭 쥐여 드렸던

동전 세 닢

숨 떨어지는 듯 삼키고 가셨습니다

천지가 고요해졌습니다

그 돈으로 부처님의 집까지

잘 도착하셨는지

지금도 아리송합니다

# 피아노

이윤

상앗빛 꽃잎 수천 장
소리에 떨어진다

물결이 치다
희비가 엇갈리다
저음으로 진다

딸아이 손끝에 쌀알이 튀다
쇼팽이 불거져 나뒹구는
휴일 오후,

잠시 잠시나마
선율로 내리는
너의 편지

또 하나의
귀한 맛

# 겁나는 선물

이은봉

선물이 왔다 먼 나라

미국에 사는 작은아들한테서

무언가 그럴싸한 것이 왔다

화려한 겉 포장을 뜯으며

나는 이것이 시계라고 생각했다

옆에 있던 아내가 들여다보더니

시계가 아니라고 했다

스마트 워치라고 했다

스마트 워치라, 도무지 알기 어려웠다

거듭 생각해 보니

현대문명이 온 듯싶었다

컴퓨터 한 대가 온 듯싶었다

가죽끈이 달린 검고 둥근 메타버스

설명서를 봐도 알기 어려웠다

한참을 들여다보던 나는

아이고, 복잡한 내일이 왔구나 생각했다

아이고, 난해한 미래가 왔구나 생각했다

이놈, 검고 둥근 놈

엄청난 두려움이 온 것이었다

엄청난 무서움이 온 것이었다

너무 복잡한 이 선물

너무 난해한 이 선물

그냥 책상 서랍 속에 넣어 두기로 했다

이따위 선물 전혀 겁내지 않는

서울 사는 큰아들이 올 때까지는

# 마지막 선물

이인성

비탈진 골목 어귀 모퉁이 길 돌아서면

어느새 가을의 짧아진 해가 서쪽 능선 언저리를 서성
이고

노환의 어머니 걸음은 느릿느릿 불안하다

달빛 부스러기조차 내려앉지 않는 외로운 강둑길 흔들
림 따라

어머니 못다 한 이야기가 두런두런 쌓인다

기다리지 않아도

계절은 어김없이 다가와 심란한 마당을 쓸며 불쑥 들
어선다

바람은 급한 사연 품고 어머니 뒷모습을 담아 어딘가
로 달려가고

부스스 눈 비비며 세상을 잊고 사는 너

불어 가는 그 바람의 의미라도 알고 있는 걸까

이제는 가야 할 때라고

옷매무새 단정히 하고 며칠을 기운 없으신 어머니 동
공에는

뭔가 쏟아질 듯한 냉한 하늘이 담겨 있다

단단하게 밀봉된 선물 상자 앞에서 나는 머뭇거린다

문득 내 앞에 놓여 있던 길도 여기저기 사람들도 사라
지고

기다리던 소식은 결국 오지 않는다

차마 마무리 짓지 못할 것 같았던 이별의 순간이 오면

밟고 밟아 단단해진 길 위에서도 다시 꽃 한 송이 피울 수 있으리라

들판 위에 서 있는 수백 년 고적함을 품은 은행나무에게도

한 계절 사색의 무더기만큼 사연이 쌓이고

몸져누우신 어머니 앞에는 아직도 못다 한 이야기가 맴돌고 있다

이 가을 분명해질 수 있는 것은

새로 태어나기 전 아득함만큼의 사랑이다

지난 기억을 담은 밀봉한 선물함을 망설이며 열어

고운 보라색 목도리를 마지막 인사 나누듯 어머니 목에 정성으로 감아 드린다

힘없이 웃으시는 어머니 고요한 미소 앞에서

나는 또 머뭇거린다

# 선물

이정록

내가 너에게 반한 순간,

너는 꽃으로 피어났지.

나는 꽃병이 되겠다고 홀로 마음먹었지.

잔뿌리까지 몽땅 품고 싶어서 화분이 되기로 했지.

목이 긴 화병을 실금으로 촘촘히 묶어 버렸지.

담장 높은 곳에 화분을 외로이 올려 두었지.

꽃송이는 예뻤지만, 화병과 화분에 갇혀 버린

네 마음은 문드러졌지.

네가 꽃으로 다가온 날,

나도 꽃이 되어 꽃밭이 됐어야만 했는데.

너와 함께 꽃다발이 됐어야만 했는데.


내가 사랑에 빠진 순간,

너는 샛별로 반짝였지.

나는 밤하늘이 되겠다고 홀로 맹세했지.

떠돌이별까지 다 어둠 속에 가둬 버리기로 했지.

은하수로 흘러가 버릴까 봐 밤안개로 보자기를 짰지.

천둥 번개에 부서질까 봐 멀리 올려 두었지.

별빛은 아름다웠지만, 자꾸만 별똥별로 사라지는

네가 두렵고 무서웠지

네가 별로 반짝인 날,

나도 별이 되어 별밭이 됐어야만 했는데.

너와 나란히 별자리가 됐어야만 했는데.

# 집으로

이정섭

꽃과 나비를 양분하는 아침 무수한 안개를 베어내는 나비는 분주하다

동백은 여섯 아이를 가졌다 동백이 사산하는 여섯 아이가 아침을 구성한다 안개는 매일 아침을 건조(建造)하고 나비는 날마다 출항한다 여섯 개의 목숨이 절반이다 나머지 절반은 날 저문 동백에서 해 돋는 저 생까지 아침이 해체되는 안개 너머 짓밟혀서 번지는 꽃잎처럼
매번 헛스윙이다 우리의 기척이란

나비가 돌아왔다 날개를 펄럭이며 공장을 접수(接收)한 나비는 그러나 오래 지나지 않아 날갯짓을 멈췄다 나비를 버려서 나비는 죽음을 수감했다 나비는 미라가 되었다
나는 나비다
나는 나비가 아니다
유한한 목숨을 선고당한 나는 무기수다 죽음에 가까워서야 유기수로 감형된 나는 지금 가석방 중인데 나비는 돌아왔고 나비는 증발하고 나비는 잊히고
까마득히 돌고 돌아
무려
처음이다

# 후숙

이정연

초파리가 날고 있다. 엄마가 보내온 살구의 이마 위로
쓸쓸히 동그라미를 그리는 끈적이는 초파리 몇 마리.
지금 익어 가는 저 살구들은 얇은 용돈 봉투에 끄덕이
는 바로 그 살구들
눈을 반짝이는 살구들, 목소리를 애써 부드럽게 간추
리는 살구들
저승꽃 검은 점, 점 점만큼 무게가 더 나가는 살구들,
눈을 감으면 더 번지는 향은 반기지 않는 선물 같아 무
거워
얼룩으로 스며 나와 버린 죄 없는 저 궁기는 무거워

살구가 익어 간다 고작 살구 몇십 알 마음 담으려다 비
명을 지르고 있다
발효인가, 저 발효된 사랑의 살구라 불러 줘야 하는 것
일까
저것을 어떡하라고 저 파고 들어가는 얼룩을 어떡하
라고
살구의 무릎이 사라진다
더 깊이 가라앉는 살구,
검은 점, 점 점 꽃 피어오르는
저 살구

# 자랑스럽다

이종수

눈부신 생의 입학식을 하는
매미가 나무에게 주는 브로치를
내 가슴에 달아 본다

# 만년필

이주희

1

"글씨만 잘 써지네 뭐"
종알거리는 내게 대학생 오빠는 버럭 소리를 질렀다
만년필촉을 다 망가트렸다는 지청구에
나는 야무지게 입을 다물어 버렸다

2

"전무님 선물이다"
퇴근한 아버지는 수저도 들기 전에
앙증맞은 꾸러미를 건넸다


초록색 빠이롯트 만년필!


눈이 휘둥그레진 오빠는 냉큼 빼앗으려 들었지만
난생처음 받아 보는 선물이 봄을 불러와
내게 심어진 나무엔 가지가 뻗고 연둣빛 새잎이 돋았다


뒷동산만큼 으쓱해진 나는
중학교 교과서에 이름 쓸 날을 기다렸다

3

"너 공부 못하면 알지?"

오빠는 잽을 날리듯 툭툭 나를 건드렸다

# 보내지 못한 시집

이지담

만화책을 보고 있어도
소설책을 보고 있어도
글자를 모르셨던 할머니는
모든 책이 공부라고 믿으셨다

책상에 앉아
책 속의 여러 갈래 길에서 만난 사람들이 쥐어 준
물음표를 들고 헤매고 있을 때
슬그머니 문을 닫아 주셨다

그때부터 책은 내 심지 속에
뿌리를 내리고
강물이 되어
외로운 돛단배 한 척 받아 주고 있었다

도시가 들려주는 말을 이해하면서도
길을 헤맬 때
구수한 된장국 냄새에 이끌려
집으로 돌아가는 길을 찾았다

주소가 없는 시집 한 권이

책상 위에서

할머니의 눈빛과 마주친 듯

가로등처럼 아주 먼 곳을 비추고 있다

# 뜻, 밖의 선물

이하석

13층 아파트 베란다 창문 잠깐 연 틈이었겠지요. 허공 떠돌던 민들레 씨앗 하나 나도 몰래 날아 들어와 제라늄 화분에 선물처럼 앉았겠지요. 올봄 노란 꽃 피더니 그걸로 하얗게 부푼 씨앗꽃도 지어내어 바람을 부릅니다. 창문 열어 그 씨앗들 바람에 실어 보냅니다. 국가가 내게 선물한 것 없어도, 누가 부쳐 준 뜻, 밖의 선물 하나 키워서 만든 백 개의 답신들을 전국에 부치는 것이니 다들 잘 받아 챙기소서.

# 동백젓

임경묵

산 채로 버젓이 염장 당했으니
비릿한 군내가 동백의 시취(屍臭)는 아닐 테지
이 바닥에서
곱게 죽었다는
사분오열되지 않고 몸매 그대로 유지했다는 것
잘 익었다는
빛깔 곱게 삭았다는 말인데
하필 동백꽃 활짝 필 때 염장 당한
새우여,

겨울 바다를 명랑하게 뛰놀던 몸짓과 빛깔 그대로
그때 그 기분
그때 그 느낌
그대로
썩지 않고 남고 싶다는 새우의 바람이
저 동백젓 속에 들어 있겠다

붉은 다라이마다
고봉처럼 쌓아 올린 젓갈 더미 속
갓 피어난 동백을 불러 본다

아줌마, 여기 동백 있어요?

# 워리피플

임미리

과테말라 먼 나라에서 워리피플이 왔어
손가락 마디만 한 인형들을 만져 보며 씨익 웃어 주
었어


세상의 이치라는 것이 때론 이해가 되지 않지만
공기 한 박스 보내라며
오랜만에 한 전화를 끊는 사람의 무심한 주문처럼
모든 것들이 낯선 세상이 되어 버렸어.


세상은 보이지 않는 바이러스에 서서히 침식당하고
우리는 두 눈만 깜박거리고 있어.
그동안 너무 많은 직설적인 입들이 세상의 귀를 침식
했지.
이제는 참혹한 대가를 치르느라 귀를 기울이지만
소통되지 않은 언어들이 난무하여 서로 고성만 오가
고 있어.


바람이 지나가는 자리에 능소화 지고
저만큼 멀어져 가는 사람의 뒷모습이 쓸쓸해지는 오늘,
먼 나라에서 온 워리피플에게 근심 한 줌을 훔쳐 주니
그 작은 눈이 윤슬처럼 반짝이네.

우리 모두는 먼 바다의 외로운 섬처럼
홀로 견디는 법을 배우고 있다네.

# 북녘 송이 남녘 귤

임백령

사람은 오가기 힘들지만 선물은 건네져서
분단으로 갈라진 마음을 전하는구나
북녘땅에서 보내 준 송이버섯 이 톤
남녘땅에서 보내 준 제주 귤 이백 톤

송이 철 힘들여 깊은 산속 찾지 않아도
북녘 송이 향 남녘에서 코를 찌를 것이다.
수확 철 맞을 수 없다 해도 남녘 귤열매
북녘에서 등불처럼 환해질 것이다.

백두대간 맑은 산속 소나무 아래
돋아나고 돋아나던 한민족 열망의 송이들
한라산 아래에서 백두까지 휘어진 가지에
맺히고 맺히던 한민족 벅찬 열매들

북녘 체제 밀어내자는 어느 정치인은
그것을 독버섯이라 할 것이지만
북녘 사상 말살하자는 어느 정치인은
그것을 탱자라고 할 것이지만

# 선물

장욱근

자유를 얻고 불안을 얻었다

내가 가지지 않은 것들에 대해서

내가 가진 것들에 대해서

아무런 미련도 남아 있지 않다면

얻은 것과 잃은 것에 대해서는 계산해 보지 않기로 했다

조심스럽게 한 생을 건너오면서

마음대로 되지 않은 것들을 뒤로하면서

게걸음을 걷는 저녁이 많았다

앞서가 버린 것들을 뒤쫓느라 옆을 볼 틈도 없었다

막차를 놓치고 자갈길을 따라 발끝만 보고 걷던 밤이 있
었다

푸른 보리밭조차도 검은 짐승으로 보이던 스무 살 초입
의 길에서

나는 이미 한 치의 여유도 없는 삶을,

내밀한 어둠에 둘러싸인 길을 동물적인 감각으로 감지
했는지 몰라

중심에서 멀어질수록 죄어 오는 목줄을 목숨처럼 끌어
안고 돌면서

언제 끊어질 줄도 이미 끊어진 목줄에 스스로 목을 들이
밀고 있는지 몰라

한 걸음 밖으로 나가는 두려움에

자유를 얻고도 불안에 떠는 짐승

# 왜곡된 유산

장유리

아버지는 곱슬이었다.
백석보다 더 심한 곱슬이셨다.

반곱슬인 나는
나이를 먹을수록 왼쪽 끝과 오른쪽 끝에서
합의할 수 없는 반골을 깨달았다.

선물로 받은 건 곱슬만이 아니다.
그냥저냥 거슬려도 잘 넘어가다가
도저한 환멸과 맞닥뜨릴 때
회심의 붉은 단절을 꺼내지만

앞을 볼 수 없는 전쟁터에서
늘 쓰러지는 건 나였다.

오늘도
패전국의 포로가 되어
어설픈 반곱슬의 머리를 쓰다듬으며
모멸과 모래가 섞인 밥을 삼킨다.

끝없이 말을 걸어오는 저 천박한 무례와 오만

묵인과 비굴이 손잡는
그것이 화합이라면

어쩌면,
끝없는 이 세상과의 피로와 투쟁은
다 물려주고 싶지 않았을지 모른다.

# 경유지

장유정

태양보다 한두 박자가 늦은 계절
어떤 계절은 시차가 길어 한바탕 발을 동동 구르기도
합니다.
꿈속에서 붉은 나뭇잎들을 새처럼 날려 보내듯이
하늘의 텅 빈 골짜기로부터 소란스런 눈이 내리고


서 있는 나무가
자신을 이미 땅속에 묻고 있듯
자기도 모르는 곳으로 멀리 떠돌며 조각조각 뿌려지고
흩어지는 것들
꿈은 어느 한 부분을 잠시 껴안는 편이지만


때아닌 폭설이 주소를 잃습니다.


특별해서 한참이나 쳐다보게 되는
죽은 엄마 생시같이 껴안으며 진짜, 진짜지
믿을 수 없이
반은 맞고 나머지 반은 아닐지라도
갑자기 아침에 잘려 버린 꿈에 대해
환승이나 도착을 외치고 되돌아서
낙타의 울음소리 들리는 곳으로 내딛는

느닷없음과 어이없음의 이중국적을 어루만지게 됩니다.

누구에게 물어보는 것도 그렇고 해서 손톱으로 허벅지를 꼬집는 되돌아가지 못한 말들이 웅성거리는 검색들 천기누설처럼 한낮이 펄럭대는 저녁을 향합니다.

몇 겹으로 갈라지는 걸음들, 그리고 우린 나무공동체처럼 늘 한 발짝 앞에서 움찔 뒤로 물러서는 휘청거림을 밤새 듣고 누구나 다 아는 일이 되기까지 더러 통증으로 환하지만

눈 딱 감듯 지붕 턱에 걸려 넘어지는 곳이
눈부신 조각들이 멈춰 서곤 하는 것처럼 선물로 도착합니다.

# 다이모니온*

장이소

일출과 일몰은 아무리 봐도 똑같아
해를 삼켜 해를 꺼내 놓는 것일까

힘주어 봄눈의 닫힌 눈꺼풀을 밀어 올리듯
또 한 번은 가을 단풍 볼 붉히듯

행자의 가방에서 태평양을 건너온 커피 한 봉지
개똥도 약에 쓴다더니
사향이라면 똥이라도 천금으로 산다

고양이다람쥐족제비하늘구름별들의 똥

모두 살아 있는 것들의 밑천

모든 일련의 과정을 지나온 기다림
속을 관통한 속 안의 속
안과 밖, 처음과 끝이 한통속이다

가만히, 내 아침의 뒤를 살핀다
절대 우위가 구름이다

(부디 슬픈 사향고양이가 없는 하늘 아래이기를)

문득, 아침은
뒤로부터 온다는 구린 생각
진동한다

* daimonion, 악마의 어원이 되는 단어. '다이몬의 신호', 소크라테스의 태도 결정에서 대개 금지의 형태로 나타나는 내적인 신(神)의 소리

# 산책길마다 선물이 있네

장이엽

눈먼 시를 썼으니 서서히 식어 가게 해야 해

바람이 좋아서 걸으러 나왔어, 라고 하고
하늘 참 이쁘다, 라고 하고
이미 해 버린 말 아닌
하고 싶은 말이 무엇인지 곰곰 풀어 보는 산책의 시간

오늘은 여뀌가 피어 있네
처음 본 듯 눈 맞추고
자잘한 꽃봉오리에 이끌려
한 번 보고
올망졸망 들썩대는 멋대로 춤에 반해 또 쳐다보고
이제 가야지 하고 일어서려다가
잠자리라도 올까 봐 조금 더 기다려 보고

저만치께선 까마중 익어 간다
강아지풀 이마에 걸린 보랏빛 노을도 손짓하는데

꽃 볼 때마다 쉬어 가면 어쩌나
해 지기 전 돌아갈 수 있으려나

# 선물

시인님,
옛날 우리 종이 몇 장 택배로 보냅니다

달 좋은 밤이나
새벽이나
그리운 임 오시거나
그런 날

화살 시위처럼 팽팽한
이 문으로
먼저 마중 오시면 좋겠습니다

# 생각과 동시에 만남이 이루어지고, 장재원
# 생각으로 대화를 나누는 곳에서의
# 해후를 그리며

신도시 아파트 숲이 외래 가시박* 덩굴처럼
범박동을 뒤덮자
뭉개진 선산 아카시아꽃 향기를 데불고
종적을 감춘 곽 시인.

하루하루 버텨내는 것만이 상수였던
아이엠에프 그때,
복사꽃 향기 감도는 부천 변두리
가난한 황토 골목길 시인의 동네에 가면
우물가엔 소중한 인정들이 모여 앉아
오순도순 저녁거리를 씻었다.

중년의 사랑살이 풍파가 겨운 나를 불러내
쓴 소주잔을 기울이며 너털웃음 짓던 형뻘인 친구
정겨운 어깨동무로
사랑과 이별의 칠공팔공 카세트테이프를 선물하며 '사
랑한다!' 말해 주던.

사춘기 두 딸을 데리고 떠난 마누라 대신
재주 좋게 모텔 여주인과 새살림 살던
만년 백수 형.

서로가 삶의 가시박 덩굴에 뒤덮여
시나브로 연락 두절된 지 여러 해,
불현듯 다시 찾아와
사라진 옛집 국화 향기 더듬을 때
세월을 동강 낸 외곽도로, 질주하는 차들만이
허전한 내 마음을 더 덩거칠게만 할 뿐…….

\* 생태 교란 종으로 지정된 박과의 1년생 외래 넝쿨식물

# 겨울 풍경

장현숙

눈 내린 날 아침

박주가리 열매가 잎 떨어진 넝쿨에

위태롭게 매달려 흔들거린다

시리도록 푸른 하늘을 배경으로

돛처럼 줄기가 솟아 있다

가끔 바람이 불 때면 일렁거릴 뿐

소리를 삼킨 흰 바다에

제 몸을 맡기고 정박 중이다

다가가 보니 꼬투리가 열린 작은 틈 사이로

날개들이 서로의 몸을 포개고

온기를 나누고 있다

등을 포개고 손을 맞잡고

겨울을 견디고 있다

사각사각 스치는 소리

날개 다듬는 소리

웅얼웅얼 안부를 묻는 소리

저 작은 세계에도 삶이 있다니

조심스럽게 다가가

이야기를 들어 보려고 귀를 대는 순간

일제히 날아오르고 있다

출항이다

푸른 하늘을 향해 날개를 펴는 것이다

어디선가 뱃고동 소리처럼

소나무를 타고 도는 바람 소리가 들린다

# 작은 멜로디

전남용

순두부처럼 순한 스물한 살에
이처럼 두근거리는 붉은 심장을
네가 내게 주는 선물에,
내 가슴은 사이다 거품 소리 같은 하얀 별들로 가득했지

가까워질수록
너와 거리가 가까워질수록
성당의 종소리 뎅 뎅 푸른 하늘을 때리고
그곳에 너는 서 있었다

조용한 길 위였지 우린 서로를 바라보았다
난 품속의 작은 멜로디를 네게 주었지
넌 감출 수 없는 미소로 포장지를 풀었지
멜로디는 소리가 났다 안 났다 했다

그렇지만 우린 공원 벤치에
친근하게 다정하게
사랑스럽게
우리는 그렇게 앉아 있었다

사랑은

가끔 고장이 난 멜로디처럼

이별도 없이 자꾸 삐거덕거리고

공장의 상무는 샤일록처럼 우리 사랑을 방해했지


우리 사랑은

너무 서툰 어린 나무들이었고

바스락거리는 작은 낙엽 소리에도 흔들렸다

그렇게 나무는 남고 새는 날아갔지……


흰 눈이 내린 겨울이었지

이제 떨어지고 없는 와이셔츠 흰 단추 한 개

……


그러나 우리는 사랑했네

# 잠시 멈추어도 좋을 시간

정가일

어쩜 저리도 조용할까

참새보다 몸집이 큰 새가 소리도 없이 검은물잠자리를
물고 간다

물잠자리가 어떻게 여기까지 왔는지 알 수는 없지만

하늘은 잔뜩 내려와 무게를 다지고

바람 한 점 없는 뜨락엔 백합 꽃잎과 아직은 제빛을 머
금고 있는

분홍 수국의 꽃잎이 초여름 꽃밭임을 말해 줄 뿐이다

행여라도 덜 자란 모과가 제 머리에 떨어질까 봐

몸을 잔뜩 조아리고 있는 수국이 아니라면 내가 살아
있다는 사실도 잊을 뻔했다


창밖으로 보이는 풍경이다


고택의 툇마루에 앉아 저 풍경을 바라보는 것이라면
더 운치가 있겠지만

선물처럼 찾아온 멈춤의 순간에도

꽃은 피고 꽃은 진다

# 최승희 씨와 춤을, 전혜린 씨와 술을 정기석


죽기 전에 한 번쯤은, 살아생전 마지막 소원으로
최승희 씨가 추는 춤을 직접 목격하고 싶다


비록 너는 어느 쪽이냐고 묻는 말에 대해
그녀가 아무 말도 못 하고 고개만 뚝 떨굴지언정


새가슴이 터질 듯한 긴장과 흥분으로
마치 역병 환자처럼 식은땀과 눈물을 철철 흘리며


공회당 객석의 맨 앞줄 정중앙 특석을 몰래 차지한
일반 관객의 주제로, 두 눈을 직선으로 부릅뜬 채


조선의 무희가 머리끝에서 발끝까지
몸부림치고 진저리 치며 펄펄 뛰는 몸의 극치를


다른 건 다 필요 없고 그저 춤만, 오직 춤만
사력을 다해 탈취해서 소유권 등기하고 싶다


공연이 끝난 직후에는, 채 감동이 가라앉지 않은 상태
에서
전혜린 씨나 명동 골목길에서 우연히 마주치고 싶다

일부러 찾아가거나 불러내고 싶지는 않다

만나면 그냥 각설하고 차가운 소주나 다짜고짜 동반 통음하고 싶다


굳이 서독 뮌헨 슈바빙의 단골 카페 제에로제는 아니더라도

옛 국립극장 뒷골목 은성 대폿집을 떠올리는 세기말적 선술집에서


그리고 아무 말도 하지 않으면서도

이 모든 괴로움을 또다시 기본 안주 삼아 꼭꼭 곱씹으며


편두통과 자본주의가 머리를 깨뜨리는 한이 있더라도

오직 에스프리의 힘만으로 완전무결하게 만취해 마구 흐트러지고 싶다


그렇게 하룻밤 날밤을 새며 허무하거나 무참하거나 치욕스럽게도

식민지 조국의 폐허 속으로 와르르 무너져 내리며 페이드아웃 되고 싶다

최소한 딜레탕트답게, 최대한 데카당스하게, 최고로
아방가르드하게
　　최종의 인생극장에 최후의 축제를 최선의 선물로서
　　도시락 폭탄처럼 장렬하고 찬란하게 투척하고 싶다

# 잃어버린 선율

정민나

봉평교차로에서 좌회전해서 다시 뜨거워지는 해. 아픈 허리는 한눈을 팔 듯 먼 구름다리에 걸쳐 있어 가기로 했던 설악산은 내일 오르기로 하자. 할 얘기가 많은 해변의 모래알들도 가만가만 눈빛으로 묻어 두고

바람 쐬러 나온 습습한 마음은 단추를 모두 열지는 말자. 요 며칠 낯선 꿈들이 몰려와 잠을 설친 이야기. 눈을 떴는데 눈이 다시 감기는 이야기. 누워서 팔다리 운동으로 다독이는 너와 나의 내재율은 바깥쪽으로 바람이 불어도

문을 열고 나가면 내딛는 길마다 쩍쩍 달라붙는 발. 흘러내리는 뼈. 흐물거리는 근육. 조용히 주워 담아도 몸 안에서 종일토록 비가 오네. 현대 폐차장이 길가에 보이는 펜션에 머무는 동안에도 나비가 팔랑이는 설악초 근처인데

야생화가 활짝 핀 해변가 근방인데 나는 왜 허리가 아플까. 이렇게 통일전망대나 곁에서 빙빙 돌면서 너의 마음엔 비가 내릴까. 이미지적으로나 의미적으로나 명랑하게 파도치는 맑은 바다가 가까이 밀려오고 있는데

# 그날 새벽에 새 친구가 왔다                정선호

그날 새벽에 자다가 갑자기 숨 쉴 수 없어
집 앞 종합병원에 가 급하게 시술해
숨을 쉴 수 있게 되었다
시술 후 깨어나 알게 된 병명은 심근경색,
말로만 듣던 큰 병이 내게 온 거였다

수술 후 병실에서 인터넷을 검색하니
북한의 독재자 부자도 그 병으로 죽었고
많은 유명 배우나 가수 들도
그 병으로 죽었음을 알게 되었다
그만큼 사람들에게 갑자기 오는 중병이다

숨이 갑자기 막혀 올 즈음
문학 모임 있어 타지에서 자고 있었거나
산골에 있는 집에 있었거나
시골 고향집에서 잠자고 있었다면
정말 큰일이 일어날 수도 있던 거였다

언제나 건강을 자신하며 살았던 내게
심근경색은 너무 낯선 손님이다
찾아온 손님을 잘 대해 주고 친구 만들어

사이좋게 지내야 하는 운명이 시작되었다

# 키스

길을 가는데
길가 떡잎 하나가 땅에 묻힌 비닐을 뒤집어쓰고
누런 숨 몰아쉬고 있었다
누가 저런 시련을 주었나 사죄하듯이
조심스레 비닐을 뜯어
그의 숨구멍을 틔워 주고 떠났다
그런데 다음 날부터 나의 길은
그 길로 새 길이 트여
그를 살펴야 편해지는 버릇이 생겼다
누렇던 떡잎은 금세 초록 잎으로 바뀌고
하루가 다르게 커 가더니
콩알만 한 노랑 꽃을 피웠다
성도 이름도 모르는 작기만 한 그 꽃이
여름 볕이 시드는 날까지 나의 애인이 되었다
다가설수록 설레는
나만의
촉촉한 입술이 되었다

# 목련 아동 꿈터

정여운

언니가 해고당했어요 목련 봉오리가 아이들처럼 흐드러진 봄날이었어요 언니는 직원으로 취직했거든요 아름드리나무가 눈에 선한 정원이 화사했어요 그런데 원장은 바이러스 같았어요

없는 자격증으로 시설을 운영하고 없는 사회복지사 이름으로 인건비를 지원받고 없는 입소생의 이름으로 교육비를 지원받고 없는 실습생의 이름으로 실습지를 써 주었고 지적장애인 이름으로 생계비를 탔어요

없는 것을 찾아내고 확인하던 언니는 입사한 지 한 달만에 잘렸어요 해고당하던 날 밤, 목련 봉오리들이 강한 바람에 쏟아졌어요 한 달 뒤 경찰서에서 전화가 왔어요 언니가 명예훼손으로 고소당했대요 고소하고 싶었던 사람은 언니인데 정보통신법을 위반했다는 거예요

언니는 백신이 되겠다고 다짐했어요 여성가족부와 시장에게 민원을 넣고 학대아동신고센터에 접수하고 노동부에 고발하고 인권위원회에 진정서를 올리고 국민권익위원회의 신문고에 글을 올렸대요

이윽고 4월이 되자 목련 봉오리가 다시 피어나기 시작했어요 바이러스를 격리시키듯 원장은 끝내 정원을 떠났어요 아이들은 하나둘 꽃을 피웠고 파릇한 잎들이 무성해졌어요 언니는 그 바이러스로부터 완치되었어요

# 스쿠버의 잠꼬대

정지윤

— 수몰지에서


집 한 채를 짊어진 스쿠버가
수면 위로 불쑥 솟아오른다
수면 아래에서 개 짖는 소리 들려온다

개들은 매일 젖은 물속을 걸어왔다
가장자리만 밟아도
사라진 물이 만져진다

흰 사과 꽃이
물속에 그대로 핀다
그래, 훔쳐 간 것은 오래된 너의 눈빛

물 끝에서 서쪽이 반짝인다
돌아오는 아버지
목수가 쿵쿵 망치를 두드린다
적막하다

물속에서 안개가 피어오른다
뚜렷했던 것들이 사라진다

부서진 집 툇마루에서

물방울들이 거침없이 나를 지운다

물 깊은 곳이 간지럽다

# 봄빛

조규남

핀셋으로 헤집던 화농의 병실이 꽁무니를 뺀다, 밀대에 걸려 있던 링거가 하나씩 자취를 감추고 봄을 재촉하는 비가 화상병동 유리창 촉촉이 적신다 차가운 빗줄기 끌어당겨 몸을 닦는 벚나무, 바싹 마른 실핏줄 흔들어 꽃샘바람 풀어놓는다

식당 개업식 날 가스통 폭발로 화상을 입은 여자, 느릿느릿 몸을 일으킨다

화마(火魔)가 일그러뜨린 목 움켜쥔 턱, 심장 가까이 내려온 귀, 귀밑에서 돋아난 새살이 짧아진 목 잡아당기면
두근두근 봄빛 설레는 소리 붙잡고 밤새 긁어댄 살비듬 닦아낸다

봄도, 여름도, 가을도, 겨울이었던 계절이 어설픈 물걸레질로 쓸려 나가고

흉터 선연한 얼굴에 내려앉은 말간 햇살이 따뜻한 봄을 풀어놓는다

# 선물 그릇

조동례

담장 위에
빈 그릇 두었더니
비가 와서 채웁니다
그 물을
벌이 와서 먹고 목욕하고
새가 와서 먹고 목욕하고
그래도 남아서
고양이가 얌전히 먹는 걸 바라보며
나도 마음 비우기 좋은
가난이 버린 빈집에
몸담기 잘했다 싶습니다

# 꽃의 선물

조숙

가방에는 누군가 여러 번 본 꽃이 들어 있다 꽃은 피는 기간이 있다 꽃이 들어오고 나갈 때마다 나는 변태한다 넝쿨 꽃 들어오기도 하고 시퍼런 가시투성이 꽃송이 들어오기도 하고 낡은 향기가 들어 있기도 하고 듬성듬성 어긋나기 잎차례가 피어 있기도 하다 꽃이 가득 들어 있는 가방은 나의 왼쪽 어깨에 걸려서 횡단보도를 건넌다 사람들은 가방 안의 꽃을 빨리 눈치챈다 나는 어깨를 구부리고 어둡게 뛰어간다 꽃의 주간 플래카드 걸린 주민센터를 지나 24시간 불 꺼지지 않는 편의점 지나 꽃 돌려놓으러 간다 꽃들이 잠든 꽃들의 무덤 나는 가시 있는 꽃으로 살찌우고 싶어 한다 무덤 속에서 빌려 온 꽃 들고 언덕을 향해 서둘러 간다

# 상사화 피면

조영욱

상사화 피면 만날 테지

꼭 만날 테지

부채에 반야심경

전지에 전봉준 장군 절명시 써

갈무리한 지 한 해 반

만나면 만나겠지만 엇갈려

미루고 미루다 하 세월

손절 같은 단절

휴전선 밖 새 휴전선은

생명이 천국 오르내리는 전장

사람이 고프다

피눈물 뚝뚝 떨궈 상사화 져도

만날 날 가물가물

이러다 유작이 되는 건가

단풍 들기 전

첫눈 내리기 전에

만날 사람은 만나야지

하늘이 막아도 맘만 먹으면

반드시 만나리라

# 우체국 앞

조정애

바람을 기다리는 모퉁이
맥문동 보랏빛 꽃들이 피었다
푸른 치마 고만고만한 키에
야무진 꽃이 줄줄이 달렸다

오금역 1번 출구
우체국 앞에서
우리보다 먼저 와서
새처럼 재잘대는 꽃동무야

해마다 깊어 가는 팔월 끝자리
청아한 꽃으로 와서
친구를 기다리는
푸른 사람아

바람이 먼 길 갔다 돌아오는 날
맥문동 보랏빛 꽃들이 피었다
푸른 치마 고만고만한 키에
우리들의 이야기 줄줄이 달렸다

# 추운 선물

종정순

멀리서 바라본다

눈보라 무늬로 겉포장 하고 도로변을 떠돌던 선물
받아 준 것은 동네 버스 승강장이다

유리벽 좁은 의자에서 새우잠 자고 있거나
막차가 끊겨도 혼자 골똘히 수그리고 있던 캄캄한 의
문들

선물이 없어졌다

굶어 죽었대, 시설로 갔다는데
마스크를 쓰지 않아 누가 신고해서 잡혀갔대, 소문이
무성하고
혼잣말이 얼룩진 짐 가방도 없어진 지 몇 날 며칠,
나는 출퇴근길이면 찾아보는 것이다

버스 승강장 의자에 다시 그 선물이 놓여 있다

그래, 선물이지
어느 일가의 자궁 문을 열고 와서 축하 인사 받으며

누군가의 가슴에 안겼을 왕자님

곤한 잠에 빠져

무슨 꿈을 꾸고 있을까


나는 오고 가는 선물들을 오래 생각한다

# 선물

열두 살 아이와 예순의 어미가 히말라야 산맥을 넘는다


새소리 대신 발자국 소리 가득한
고원의 하루는 멀고도 고단하다


아이가 소리 내어 우는 동안
어미는 숨죽이며 가슴속으로 운다


아이는 등짐이 버거워 울고
어미는 아이의 눈물이 아파서 눈물을 삼킨다


아이는 오르막길에서 목구멍이 타들어 가지만
어미는 내리막길에서 온몸이 휘청거린다


평생 등짐을 나른 어미의 무릎이 닳아 느려지는 발걸음
아이가 바위 아래 짐을 내리고 턱을 길게 빼고 어미를
기다린다


삼만 원, 모자가 하루 종일 등짐을 멘 일당
밥값이 만 원, 숙박비가 만 원, 손에 쥔 모자의 하루해가
만 원

어미는 아이의 진학을 위해 짐을 나른다 하고
아이는 어미의 노후를 위해 짐을 나른다 하고

아이를 위한 어미의 꿈은
눈물겨운 아이의 사랑은

오늘도 히말라야 산맥을 넘는 모자(母子)에게 아름다
운 선물입니다

# poesia* 배달부

일 포스티노
참 오래된 선물이다
나에게 시의 비밀 일러 주고
메타포의 세계를 열어 준
고마운 영화

파블로 네루다의 창으로
시와 자전거, 바다가
하나가 된 것처럼
우편배달부의 편지는
진흙 뻘밭 속 나의 일상을
시의 바다에 빠져들게 했다
카프리 섬 무채색의 청년에게
수줍게 다가온 시어들
배추 잎처럼 시들었던 내 삶도
은유로 물들게 했다

일 포스티노
그는 추억이 아니다
오늘도 우편함처럼 매일 열어 보는
내 꿈의 통로이고

늘 감격하는 보물 상자다

나는 오늘도 이탈리아의 소년이 되어
시를 읽고 쓰고 배달하는 중이라네

* 이탈리아어로 '시'를 뜻함

# 하루하루가 선물이다

차옥혜

아침에 눈을 뜨면
새날을 볼 수 있음이 기쁘다
나이 팔십이 가까워지자
찾아오는 하루하루가
실로 가슴 벅찬 선물이다
이만큼 산 것도 행운인데
나에게 주어진 새날이
황송하고 감사한 덤으로 여겨져
두 손 모아 절하며 받든다
창문에 와서 내가 깨어나기를 기다린
먼동 트는 새벽하늘은
아니 폭풍이나 비를 몰고 온
아침 하늘조차도
반갑고 반갑다
살아서 볼 수 있는
오늘은
얼마나 간절하고 소중하며
거룩한 축복인가
또 하루를 선물 받은 오늘
나는 참으로 행복하다

# 생각의 꽃

채상근

길가에 사는 사람들은
누군가를 기다리듯
길에서 피어나는 꽃
생각을 바라보며 산다

강가에 사는 사람들은
달빛에 물이 흘러가듯
강물에서 피어나는 꽃
달을 바라보며 산다

바닷가에 사는 사람들은
순간처럼 왔다 가듯
바다에서 피어나는 꽃
파도를 바라보며 산다

마음에 있는 듯 없는 듯
피었다가 지고 다시 피어나듯
슬며시 피어나는 꽃
수많은 생각들이 산다

# 당신이라는 선물

채지원

당신이라는 선물 참 좋지요
방파제에 나린 뭉게구름
망둥어 넘실대던 그 가을의 추억 속에서
당신이 남기고 간
하얀 웃음, 하얀 파도
바람결에 묻어난 강아지풀 냄새
도도히 흐르는 물의 지문처럼
남겨진 추억들

당신이라는 선물 참 좋지요
이글대던 태양 수국 피어난
제주 바다에 새기고 온 편지
맥주 거품 일렁이던 파도 앞 석양 아래
그리운 물고기 떼

흔들리는 낚시찌의 운명
잔불처럼 술렁이던 감응

당신이라는 선물 참 좋지요
권태롭던 침대의 일상처럼
수수께끼 같던 테마파크를 거닐다

손잡았던 그 느낌 그대로
이제는 안녕

당신이라는 선물 참 좋았지요
소낙비의 지성처럼 훅, 왔다 간
가을 다랑어의 담백했던 뒷맛처럼

당신이라는 선물
참 좋았지요

# 신용길의 눈

최기종

1989년에 교원노조 참여했다고
정부가 나서서 감옥에 보내고
밥줄을 끊어 버렸다면
소가 웃을 일이지
그런데 그때는 그랬어
1,500여 가입 교사들이
길거리 낙엽처럼 굴러다녀야 했지

그때 용길이
노조창립대회에서 축시 낭독했다고
구속되고 파면되고 학교를 떠나야 했으니
그러면서 건강이 나빠져서 목숨까지 버렸으니
용길이 죽으면서 두 눈을 내놓았어
그가 살아서 보지 못한 세상
죽어서라도 보겠다고
그 슬픈 눈으로, 형형한 그 눈빛으로
아이들이 마음껏 뛰노는 세상을 보겠다고
남누리 북누리 하나 되는 세상을 보겠다고
누군가의 두 눈이 되었었지

그렇게 30년이 훌쩍 지났어

그런데 부끄러워라
학교는 여전히 옛날 그대로야
지금도 아이들은 썩은 동아줄에 매달려 살아
행복을 저당 잡히고 시절을 놓치고 있으니
교과서에 그려진 철조망은 아직도 그대로야
참말로 미안하구만
그때 조금만 당겨서 싸우면
입시지옥이 사라지고 학교가 정상화될 줄 알았어
아이들이 닫힌 교문을 열고 쏟아질 줄 알았어

아, 용길이
죽어서라도 보겠다던 그 세상 아직 오지 않았으니
행복은 성적순이 아니라고
무던히 다지고 다지면서 살아왔건만
달라진 게 하나도 없으니
이젠 개천은 없어지고 출발선부터 달라졌어
세상을 너무 쉽게 본 것 같아
어째서 그리운 것들은 이리 더디 오는 것인지
어째서 그리운 것들은 허공에 매달려 있는 것인지
그 두 눈이 미안하네

# 살구

최두석

살구 먹고 싶다고
누구에겐가 가만히 말하고 싶은 날이 있다
배 속에 애가 생긴 것도 아닌데
살구 먹고 풋풋해지고 싶은 날이 있다

시다고 하기엔 달콤하고
달콤하다고 하기엔 신 살구
도시로 나가 학교 다니던 시절
살구 먹고 싶어 시골집에 간 적도 있다

슬슬 더워져 부채를 찾을 때가 되면
무르익어 군침을 삼키게 하는 살구
아무 때나 먹을 수 있는 게 아니라서
아무 때나 먹고 싶어지는 살구

나무 아래에서 살구를 따 손에 쥐면
나무로부터 귀한 선물을 받은 것 같다
벗겨낼 껍질도 없어 먹기에 좋고
매끈하게 발라낸 씨는 곧바로 흙에 묻어 좋다

# 온돌

불은 낮게 스며드는 물길

바닥에 깔린 실핏줄을 따라

피라미가 들고, 붕어가 들고

마침내 고래 한 쌍 들어와 누웠다

문풍지 사이로 숨어드는 자객은

서릿발 검명(劍鳴)을 울리지만

장작불이 빚어낸 갑옷의 위엄

오랑캐 말발굽은 문풍지만 울리다 갔다

품지 못하는 가슴은 가슴이 아니고

누군가를 데우지 못한 사랑은 사랑이 아니다

오늘 너의 등에 피어난 진달래

고래는 품에 든 모두에게

따뜻하게 데운 젖을 물린다

나무가 지심에 뿌리를 두듯

우린 온돌에 뿌리를 내린 족속들

샛바람에 연기 들이치는 날도

숫고래는 굴뚝을 솟구쳐

자기의 은하를 유영하고 있다

아랫목에 쩔쩔 끓는 암고래

그 등에 새끼 같은 공깃밥을 싣고

354

# 약속

최상해

열 살도 되기 전부터
정기적으로 주사를 맞아야 했던 나는
왕진 가방만 보면 엉덩이가 먼저 아팠다

엉덩이가 아니라 팔에
코로나 백신 주사를 맞기 위해
일렬로 선 줄이 길다
그 길을 따라가면 엄마가 있을 것 같다

주사를 맞아야
친구들과 놀게 해 준다며
협박 반 걱정 반인 엄마의 얼굴 앞에
엉덩이 주사를 맞고 반듯하게 누워 있는
내가 보인다

엄마는 한 번도 약속을 어긴 적 없다

접종이 끝나고 주위를 둘러봐도
누워 있는 이는 아무도 없다
2차까지 맞아야 한다는 코로나 백신
겨우 1차를 맞았는데

선물처럼 엄마를 만나고 싶다

# 폭염의 레임덕

최일화

무소불위 세력을 확장하던 폭염도
임기 막바지에 이르러 몸을 사리는 기미가 역력하다
바람이 나뭇잎을 헤집고 내달려
갑자기 숲이 술렁이는가 하면
맹렬하게 기세를 떨치던 열대야가
에어컨을 끄고 경계심을 좀 늦춰도
머뭇거릴 뿐 반격의 태세에 허점이 엿보인다
처서 지나자
아침저녁으로 집권 말기 레임덕이 시작되더니
한낮 대로에서도 절름거리기 일쑤다
새의 날갯짓이며
잎사귀의 서슬 퍼런 기세까지도
퇴각로를 조심스럽게 물색하고 있다
한 치 앞을 분간 못 하고 생존에 매달리던 사람들은
지난 폭염을 무용담으로나 나누며
발 빠르게 정권 이동의 귀추를 주목하고 있다
철새를 따라 멀리 떠날 준비를 하거나
들녘의 이삭처럼 마지막 햇빛을 온몸으로 받고 있다
이제 머지않아
중무장한 또 다른 세력이
핵무기를 앞세우고 침공해 온다는 것

폭염의 세력권 안에 있던 만물은

전열을 가다듬는

차기 권력의 동태를 숨죽이며 주시할 뿐

한 세력이 왔다 가면

또 다른 세력이 와서 한 시절을 다스리곤 하지

그렇게 살 수밖엔 없는 것이네

이 폭염 속에 엊그저껜

시인 한 분 또 황망히 세상을 떠나고*

시인이 떠나자마자 조석으로 선선한 바람은 불고 있네

기다렸다가 선선한 바람이라도 쐴 것이지

시인도 다 어리석은 구석이 있다지만

그렇게 서둘러 떠날 게 뭐람

남은 사람들은 나머지 폭염마저 견디고

혹한의 계절을 또 기다려야지

* 고 한택수 시인의 명복을 빕니다.

# 염소의 뿔

최지온

뿔 속에는 뿔이 있고
그녀는 얇은 브레히트의 시집을 들고
산책을 나갑니다


그녀는 뿔에 대해서 말해요
부러진 이빨과 코끼리의 상아 혹은 양에 대해서
그러므로 뿔은 복잡해집니다 뿔이 흔들립니다


뿔 속에서 뿔이 걸어 나옵니다
풀숲에 다다르자 풀이 흔들리기 시작합니다
풀 속에 기차가 서 있어요
기차는 출발하고 그녀는 멈추지 않습니다
기차는 오직 앞으로만 달리고 그녀는 뒤로 걷는 것 같
습니다
어디로 가야 할지 생각합니다
그녀는 여름인데 풀은 눈으로 덮이고
두껍게 얼려도 얼리지 않는 뿔을 읽어요


하품을 하다가 더 길어집니다
모자를 쓴 양의 머리에서 코끼리가 나오고
여기가 어디인지 잠시 생각에 빠집니다

상아가 부러진 자리에서 탯줄이 흘러나오고 있어요
끊으려 해도 더 질겨진
아기들이 태어나고 있습니다
풀잎에 붙은 물방울들이 자장가입니다

그게 다는 아니지만
그녀의 모든 것이 흔들립니다
뿔 속에서만 몸을 열고 입을 열고 있습니다
그녀는 종일 산책을 하고 있습니다

아기들이 한꺼번에 울기 시작합니다
뿔은 단단하고
혼자서는 뿔을 자를 수 없어요

하마터면 풀을 망가뜨릴 뻔했습니다

# 다행이다

표성배

무엇보다 내가 바라는 것은

그리 큰 것이 아니다

소리 없이 내려앉는 햇살을 안아 들이는 것

그러다 깜짝 놀라게 하는 망치 소리에

정신을 차리는 것

그러다가도 또 슬쩍 바람 불면

바람이 지나는 쪽으로 고개를 돌려 바라보는 것

그러다 깜짝 놀라게 하는 그라인더 소리에

정신을 차리는 것

내가 바라는 것이 그리 크지 않아

다행이다는 말을 반복할 수 있는 것

두근두근 첫 출근한 공장이

아직도 그 자리에 있었으면 하는 것

쭈뼛쭈뼛 공장 정문 앞을 서성이다

경비아저씨와 눈이 마주치면

가만히 고개 숙여 눈인사를 건네는 것

내가 바라는 것이 그리 크고 높은 것이 아니라

참 다행스럽다는 말을

나에게 슬쩍 선물처럼 건네는 것

# 휴가

피재현

친구가 왔네

그림일기를 그리는 딸 데리고

작은 가방 하나 들고 친구가 멀리서 왔네

내 집에 짐을 풀고 딸을 씻기고

시원한 맥주를 마셨네

친구는 고등학교 다니던 폼으로

자꾸 좋다 좋다 하고

우린 정의로웠어

그래 우린 정의로웠지

친구는 가끔 밝은 불이 켜져 있는 천장을 쳐다보며

에어컨 바람이 너무 찬 거 아니냐며

엎드려 그림일기를 그리는 딸의 맨다리로

홑이불을 끌어다 덮고 다시

정의로운 눈빛으로 나를 쳐다보았네

나는 슬쩍 피해 일어나 맥주를 가지러 가고

친구는 또 살아온 이야기를 하였네

나에게 김남주 시집을 사 준 건 너였어

시도 안 쓰는 네가 김남주를 사 줬어

이제 그만 자야지 루하야, 친구는 딸을 재우고

둘만 남아 더 정의로워진 우리는 맥주를 마셨지

그때 우린 참 좋았지만

친구도 나도 돌아가고 싶지는 않다고 말했네

# 단 하나의 선물

하승무

아침 창밖으로 보이는
일곱 개의 별빛이
황색 미로의 입구를 비춘다
사슴 한 마리가 막
가시덤불을 뛰쳐나와
드넓은 들판을 가로질러
하늘이 맞닿은 푸른 숲을 향하고 있다.

무참하게 날아드는
괴수의 벽과 벽 사이에
짙은 황색 화살이
시커먼 과녁의 중심부와 조우하는
폭풍 속을 거침없이 뚫고 나간다
파란 하늘이 유난히 드높지만
이내 마지막 석양으로 물든 대지가
점점 청록색으로 변해 간다.

안대에 가린 두 눈이
생력(生力)*을 다한 굳어 버린 심장처럼
도도한 신념으로 생명을 거부하지만
쉴 새 없이 비쳐 오는 새벽빛을

석양의 반란으로도 막을 수 없는 것은
땅이 살인의 추억을 기념하기 때문이다.

한 길로만 내리비치는 광선이
너를 향하여 나를 향하여
우리 모두를 위하여
집으로 돌아가는 길 위에서
구겨지고 찢긴 너의 속옷을
빛의 실타래로 감싼다.

* 기력(氣力)을 뜻하는 필자의 신조어이다.

# 괜찮다는 말

한경숙

내 편이 되어 준 사람
당신이라는 선물 참 고맙습니다

질긴 껍질 깨고
붉은 노을 등에 업고 오면
이따금 길을 잃게 용기를 주지만
이제 두렵지 않아요
들숨과 날숨의 외로움으로 살았으니
까맣게 타들어 가는 가을밤처럼
지독하게 쓸쓸하고 고요해질게요

당신은 세상에서 가장 작아진
내 어깨를 감싸며 말해요
직선으로 뻗은 얼굴 위에
곡선을 새기며 말해요

괜찮아, 아무것도 아니다
괜찮아, 아무것도 아니다

더 까맣게 타들어 가는 황룡강 위에 뜬 밤처럼
그 사람의 모든 빛

오래, 들여다보고 싶다

# 사랑은 긴급 항해 중

한경용

— 선물

아버지께 안녕하십니까? 여기는 더운 날씨에 대해 방학을 맞았습니다. 그리고 방학을 며칠 앞두고 저 혼자 집을 보고 엄마 오빠 경산 경문이가 해운대 해수욕을 갔다 왔습니다. 아버지 저의 시계는 사지 않아도 좋습니다. 몸만 편안하십시요. 저도 모르게 1학기도 지나고 저의 성적은 나아져 갑니다. 총평균점이 85/100점이니 다행히도 우등생이 되었읍니다. 경문이는 통신표가 수·우·미와 같이 나오질 않고 매달 점수로 가정으로 옵니다. 7월달이 제일 성적이 높습니다. 372/400점입니다. 약 3등인 것 같습니다. 저희들은 꾸준히 나아가겠으니 아버지 몸만 조심하십시오. 그럼 붓을 놓겠습니다. 1971년 07월 26일 혜경 올림

— 50년 전 학교 교육이 오히려 정상이네. 요즘 세태를 비교해 보니 인간의 정서가 있다. 궁핍한 시대라 좀도둑은 있었는지 집에 꼭 한 사람이 집을 지켰다. 그래도 흉악범들은 없었다. 단층집에서 중1인 누이가 집을 혼자 보아도 되는 사회상, 지금처럼 CCTV를 켜 놓고 담을 넘어오는 사람이 무서운 세상은 아니었다. 외항선의 아버지 건강만을 바라고 시계 선물 안 해도 좋다는 표현이 정겹고 그립구나.

# 먼 포옹

한명원

수평선 끝에는 새들의 혀가 보이지 않는다


빗방울이 제각각 다른 모습으로 떨어져
강물에 안길 때 별빛은 수면에 동심원으로 퍼져 나간다


풀잎은 매일 달라지는 달의 얼굴을
가슴으로 안을 때 빗소리는 고요해진다


보낸 선물이 반송되어 돌아왔다


꼭꼭 묶어진 매듭을 한참 쳐다보다 풀어 본다
포장지 사이에 낀 편지
그늘의 속살이 보여 꺼내 품에 안는다


떨어지는 눈물 한 방울 속의 포옹이 뜨겁다


달그림자가 그린 문장
새가 입에 물고 경계선이 없는 하늘로 향한다

# 그날의 꽃

한성희

산비탈 그늘진 곳

무엇을 기도하듯 웅크리고

오래전부터

누군가 기다리고 있는 거라고

그날은 꽃바람으로 채워진

희망 같은

선물이라도 되는 것처럼

그날이 오겠지

# 선정릉

한영수

매어 두지 못하는 길이 있다
지쳐 끝나지 않은 것이 있다

스무나무 연두는 지나갔어도

무덤은 커다랗고
둥그렇고

있었다는 발꿈치를 보여 준다
죽었어도 그날
손목의 시계처럼

살아서
정확하게 오는 한때가 있으니

메추리나 까투리가 지나간 게 아니었다
잘못 든 길은 없다

시작이 있었고
너는 한 사람이었다

함께 우리는 세계였다

# 너 똥 좋아하지

우리 집 마당에는 삼월이와 봄이가 있다
봄이는 제 똥도 먹고 삼월이 똥도 먹는다
똥을 치우러 가면 졸졸 따라와 말을 건다

봄: 또 담아 가니?
나: 똥이 그렇게 좋아? 어떻게 네 똥까지 먹니.
봄: 똥이 그렇게 좋아? 기다려 봐 삼월이 똥 먹고 또 싸
줄게.

# 방과 후 학교

허완

가냘픈 등짝에는 모두 대각선으로
책과 필통을 가지런히 말아 싼 책보를 둘러멨다
흙먼지 날리는 길 꼬박 이십 리를 걸어
학교에 가자마자 우리는 종례 시간을 기다렸다
급식으로 나눠 준 노란 옥수수빵을 먹는 하굣길
우리가 지나가는 밭둑이며 작은 숲길이며
개울로 흐르는 도랑물이 흐르던 길섶은
학교보다 더 많은 것을 우리에게 가르쳐 주었다
봄 하늘을 가로지르던 종다리와
달걀 같은 알을 예닐곱 개나 낳아 놓은 꿩 둥지와
청개구리며 도마뱀, 쇠똥구리와 장수풍뎅이
신기하게도 물 위를 빠르게 걸어 다니던 소금쟁이
미꾸라지 대신 잡히던 드렁허리까지 모두
나의 친구였고 우리의 선생님이었다
여름철 가장 인기가 많은 방과 후 교실은
물이 깊어 누군가 죽을 뻔했다는 동둑 아래였다
코를 막고 뛰어내리던 다이빙 실기 교실은
수달이 되어 자맥질하는 아이들의 이름을
밥때 되어 누이들이 큰 소리로 불러야만 파하였다
한겨울에도 방과 후 교실은 열려
썰매도 구슬치기 교실도 시들해진 아이들은

저녁상을 물리자마자 여남은 명 몰려나와
마당 짚가리며 옥수숫대 사이에 달빛 조명을 켜고
어둠 속 숨바꼭질 놀이 교실 이슥하였다
폭설이 내려 방과 후 학교 문이 닫히기라도 하면
내 키보다 큰 넉가래로 온종일 눈을 치우고
초저녁부터 곯아떨어져 잠든 밤이면
아지랑이가 풀과 나무에 초록빛을 덧입히던
봄날의 방과 후 학교가 자꾸만 꿈속에 나타났다

# 꾼들의 민낯

허종열

토론과 타협으로 공동선을 마련하여
백성의 눈물을 닦아 주는
정치는 없고
날마다 불편과 짜증만 돋우는 4류 행태

서로 못 잡아먹어 안달하는 저질 비난
콩과 콩깍지는 한 뿌리에서 자랐건만
어째서 그리 급하게
서로 들볶아대는가*

# 아름다운 선물

허형만

삶이 아무리 힘들어도
구름은 오늘도 흐르지
삶이 아무리 막막해도
강물은 오늘도 흐르지

오늘도 꽃처럼 고운 날
아침이면 밝은 햇살에
활짝 피어나는 꽃처럼
환히 웃는 당신

삶이 뜻대로 안 된다 해도
새는 오늘도 노래하지
삶이 아무리 눈물겹다 해도
바람은 오늘도 불어 주지

오늘도 별들이 빛나는 날
저녁이면 창가에 앉아
지상으로 스며드는 노을처럼
평화로운 당신

# 그녀를 사랑하는 방법 　　　　홍관희
— 사랑 1그램


그녀와 함께 사는 동안 그녀에게서
사랑 1그램을 건네받았습니다


일생 동안 근육을 키워 온 마음으로도
다 받아 들기에는 너무나 크고 무거운
사랑 1그램


내 모든 것을 내어 주어도
그 빚을 다 갚을 길이 없을 것 같은
그녀가 내게 준 사랑 1그램을 떼어 먹으며
오늘 하루도 잘 살고 있습니다


사랑 1그램보다 크고 무거운 우주가
나에게는 있지 않습니다


그녀는 내게서 몇 그램의 사랑을 받았을까요?

# 묘약 선물

황상순

    동창생들 단체 카톡방엔 이러쿵저러쿵 세상 살아가는 얘기 가성비 좋은 식당이 어디인지 주식이며 집값이며 조은산의 시무칠조며 갖가지 주제들이 널을 뛰지만 제일 많이 올라오는 건 뭐니 뭐니 해도 건강 장수에 관한 얘기다 뽕나무 뿌리가 여하튼 만병통치라는 둥 개똥도 정말 약에 쓰인다는 둥 미처 알지 못하던 별의별 묘약과 비법들이 까똑, 까똑 홍수를 이루는데 쉬는 시간에도 늘 콘사이스를 뒤적이던 라면 머리 영섭이가 제시한 방법이 제일 가슴에 와닿았다 이런저런 비법들 다 그럴듯한데 나이 오십에 여산에 묻힌 시황제도 이런저런 영생불사 묘약 숱하게 안 먹어 봤겠냐 그냥 오늘도 살아 있음을 감사하며 조용히 때를 기다리셔, 들.

# 취미

황은주

애인은 그래
들바람꽃이 필 때면 그런 구두를 선물하지
구두를 신은 나는
달그락달그락

중심을 헝클어트리듯
중력을 잃어버리듯

달그락달그락 지구는 달을 돌고
달은 구두를 돌고

애인은 그래
들바람꽃이 질 때면 그런 구두를 선물하지

중심을 덧칠하듯
중력을 끌어안듯

달그락달그락 구두는 달을 돌고
달은 지구를 돌고

어느 밤 달 없는 술래잡기는

견딜 수 없는 적멸이었다며

달그락달그락

떠나지 않는 기척 소리를
애인은 믿으며

# 안에서 자라는 門

황희수

지난여름 그렁그렁한 꽃의 눈망울
산문 안쪽 안부가 궁금했다
숲길 고사목 이끼에게 물었다
낡아 가며 빛나는 고요와 침묵의 응답

"땔감이 보이는지!"

눈물의 방에서
한동안 나는 무덤같이 살았다
너무 앞서갔거나
뒤에서 머뭇거린 착오

하나의 적멸이 열어 준 문으로
그녀의 샹그릴라를 본다

마음에 꼭 드는 몸을 찾아
심장을 두드리는
뿌리의 과실을 탓하지는 않는다

문밖을 배회하며 후렴하던 참구의 선물
'나는 생존자다'

가슴에서 자라는 門

안으로 들어서면 사라지고 없다

있다고 생각하면 없고 그저 열릴 뿐


문을 열고 들어서서, 뒤돌아보면 사라지고 없다

# 필자 약력

**강남률**

2016년 《열린시학》 등단. namruyl1@naver.com

**강덕환**

시집 『생말타기』『그해 겨울은 춥기도 하였네』. thekwan@daum. net

**강민영**

2015년 『내일을 여는 작가』 등단, 서간집 『아들이 군대 갔다』. 시집 『아무도 달이 계속 자란다고 생각 안 하지』. minyoung2839@daum. net

**강성남**

2009년 농민신문 신춘문예 등단, 2018년 '전태일문학상' 수상. snk1979@daum.net

**강세환**

1988년 《창작과 비평》 등단, 시집 『월동추』『김종삼을 생각하다』. kshpoet@daum.net

**강수경**

2018년 《미래시학》 등단, 시집 『어제 비가 내렸기 때문입니다』. kkisskk@naver.com

**강순**

1998년 《현대문학》 등단, 시집 『이십 대에는 각시붕어가 산다』『즐거운 오렌지가 되는 법』. suwonism@naver.com

**강애나**

2005년 《순수문학》 등단, 시집 『오아시스는 말라가다』『밤별마중』. kwanganna@daum.net

**강영환**

1977년 동아일보 신춘문예 등단, 시집 『달 가는 길』 『누구나 길을 잃는다』. ebond@daum.net

**강정이**

2004년 《애지》 등단, 시집 『꽃똥』 『난장이꽃』. kangjungii@daum.net

**고성만**

1998년 《동서문학》 등단, 시집 『슬픔을 사육하다』 『케이블카 타고 달이 지나간다』. kobupoet@daum.net

**고운기**

1983년 동아일보 신춘문예 등단, 시집 『밀물드는 가을 저녁무렵』 『어쩌다 침착하게 예쁜 한국어』. poetko@daum.net

**고원**

1986년 《시인》 등단, 시집 『한글나라』 『식물성 구체시』. sanmoe@snu.ac.kr

**고은진주**

2018년 농민신문 신춘문예 등단, 시집 『아슬하게 맹목적인 나날』. melod@naver.com

**공광규**

1986년 《동서문학》 등단, 시집 『얼굴 반찬』 『담장을 허물다』. kkkong60@daum.net

**곽구영**

2008년 《열린시학》 등단, 시집 『햇살 속에서 오줌 누는 일이 이토록 즐겁다니』 『그러나 아무 일 없이 평온한』. wd902@naver.com

**곽동희**

2019년 《한국작가》 등단. poem3@daum.net

**권오영**

2008년 《시와 반시》 등단, 시집 『너무 빠른 질문』. koy422@daum. net

**권지영**

2015년 《리토피아》 등단, 시집 『누군가 두고 간 슬픔』 『아름다워서 슬픈 마들』. adami2@naver.com

**권혁재**

2004년 서울신문 신춘문예 등단, 시집 『안경을 흘리다』 『당신에게 는 이르지 못했다』. doctor-khj@daum. net

**권화빈**

2001년 《작가정신》 등단, 시집 『오후 세 시의 하늘』. music0617@ daum. net

**김경윤**

1989년 《민족현실과 문학운동》 등단, 시집 『바람의 사원』 『슬픔의 바다』. kky5787@daum. net

**김균탁**

2019년 《시와 세계》 등단. whould@naver.com

**김두녀**

1994년 《해평시》 등단, 시집 『여자가 씨를 뿌린다』 『삐비꽃이 비상 한다』. doonye@daum. net

**김두례**

2019년 《시와문화》 등단. k1004you@naver.com

**김명지**

2010년 《시선》 등단, 시집 『세상 모든 사랑은 붉어라』. tnstn65@ daum. net

**김민정**

1995년 '한국여성문학상' 등단, mago313@daum.net

**김상균**

1994년 《문예사조》 등단, 시집 『자작나무, 눈, 프로스트』 『깊은 기억』. bardkim@daum.net

**김석주**

1986년 《시의 길》 1집 등단, 시집 『함성』 『망부석』. namhe55@daum.net

**김송포**

2013년 《시문학》 등단, 시집 『부탁해요 곡절 씨』 『우리의 소통은 로큰 롤』. cats108@daum.net

**김수우**

1995년 《시와시학》 등단, 시집 『몰락경전』 『호세 마르티 평전』. soowoo59@daum.net

**김순선[1]**

1997년 《21세기 문학》 등단. kimss@etri.re.kr

**김순선[2]**

2006년 《제주작가》 등단, 시집 『백비가 일어서는 날』 『따뜻한 국물이 그리운 날』. kss64042@naver.com

**김안녕**

2000년 《실천문학》 등단, 시집 『불량 젤리』 『사랑의 근력』. choroc4484@daum.net

**김양희**

2004년 《시사사》 등단, 시집 『서귀포 남주서점』 『나의 구린새끼 골목』. bibalikim@daum.net

**김영언**

2000년 《다층》 등단, 시집 『아무도 주워 가지 않는 세월』 『집 없는 시대의 자화상』. hanripo@daum.net

**김완**

2009년 《시와시학》 등단, 시집 『너덜겅 편지』 『바닷속에는 별들이 산다』. kvhwkim@chol.com

**김요아킴**

2003년 《시의나라》 등단, 시집 『그녀의 시모노세끼항』 『공중부양사』. kjhchds@daum.net

**김원준**

dnjswns103@daum.net

**김유철**

2007년 《경남작가》 등단, 시집 『산이 바다에 떠 있듯이』 『천개의 바람』. sk0770@daum.net

**김윤현**

1984년 《분단시대》 등단, 시집 『들꽃을 엿듣다』 『발에 차이는 돌도 경전이다』. manlit@naver.com

**김윤호**

1991년 《현대문학》 등단, 시집 『화산』 『천지여 천지여 백두산 천지여』. ourkyh@daum.net

**김윤환**

1989년 《실천문학》 등단, 시집 『이름의 풍장』 『내가 누군가를 지우는 동안』. poemreview@daum.net

**김은령**

1998년 《불교문예》 등단, 시집 『차경』 『잠시 위탁했다』. er803@daum.net

**김은옥**

2015년 《시와문화》 등단, 수필집 『고도를 살다』. indienk@daum. net

**김이하**

1989년 《동양문학》 등단, 시집 『눈물에 금이 갔다』『그냥, 그래』. yiha59@gmail.com

**김인호**

1991년 《인천문단》 등단, 시집 『섬진강 편지』『꽃 앞에 무릎을 꿇다』 hadongpogu@daum. net

**김재석**

1990년 《세계의 문학》 등단, 시집 『체 게바라 양말』『까마귀』. crow4u@daum. net

**김재홍**

2003년 중앙일보 신춘문예 등단, 시집 『메히아』『주름, 펼치는』. kimjhs0007@gmail.com

**김정원**

2006년 《애지》 등단, 시집 『국수는 내가 살게』『아득한 집』. moowi21@daum. net

**김정숙**

1993년 《시와 사회》 등단, 시집 『슬픈 자유』『나는 허정이라는 말을 좋아해』. kjs58125812@daum. net

**김종숙**

2007년 《사람의 깊이》 등단, 시집 『동백꽃 편지』. chambegonia@gmail.com

**김종원**

1986년 《시인》 4집 등단, 시집 『어둠이 깊을수록 더욱 빛나는 별같이 살라 하고』『길 위에 누워 자는 길』. jwon1913@nate.com

**김창규**

1984년 《분단시대》 등단, 시집 『푸른 벌판』 『슬픔을 감추고』.
gyu33@daum.net

**김형효**

1997년 시집 『사람의 사막에서』 등단, 시집 『꽃새벽에 눈 내리고』
『어느 겨울밤 이야기』. tiger3029@daum.net

**김흥성**

1983년 《反詩》 8집 등단, 시집 『나팔꽃 피는 창가에서』.
ktmwind@naver.com

**김황흠**

2008년 《작가》 등단, 시집 『숫눈』 『건너가는 시간』. ghkdgma@
daum.net

**나금숙**

2000년 《현대시학》 등단, 시집 『레일라 바래다주기』. nnn2051@
naver.com

**나정욱**

1990년 《한민족문학》 등단, 시집 『며칠 전에 써 두었던 내 문장에
서 힘을 얻는다』 『라푼젤 젤리점에서의 아내와의 대화』. nhapooh@
daum.net

**문창갑**

1989년 《문학정신》 등단, 시집 『빈집 하나 등에 지고』 『코뿔소』.
mcg56@daum.net

**박관서**

1996년 《삶 사회 그리고 문학》 등단, 시집 『철도원 일기』 『기차 아
래 사랑법』. ddh21@daum.net

**박구경**

1998년 '전국 공무원문예대전' 등단, 시집 『진료소가 있는 풍경』 『기차가 들어왔으면 좋겠다』. omak0604@naver.com

**박남희**

1997년 서울신문 신춘문예 등단, 시집 『폐차장 근처』 『아득한 사랑의 거리였을까』. nhpk528@daum.net

**박노식**

2015년 《유심》 등단, 시집 『고개 숙인 모든 것』 『시인은 외톨이처럼』. pns62@daum.net

**박상봉**

1981년 '국시' 동인 등단, 시집 『카페 물땡땡』 『불탄 나무의 속삭임』. psbbong@daum.net

**박성한**

2000년 《작가들》 등단, 시집 『꽃이 핀다 푸른 줄기에』(공저). khman21@daum.net

**박소영**

2008년 《시로 여는 세상》 등단, 시집 『나날의 그물을 꿰매다』 『둥근 것들의 반란』. pk7533@daum.net

**박완섭**

1999년 《문학21》 등단, 시집 『핸들을 잡으면 세상이 보인다』 『나는 나를 알지 못한다』. poempoemhan@daum.net

**박정원**

1998년 《시문학》 등단, 시집 『고드름』 『꽃불』. jarpar@daum.net

**박종훈**

1993년 《현대문학》 등단. bac09@daum.net

**배창환**

1981년 《세계의 문학》 등단, 시집 『겨울 가야산』 『별들의 고향을 다녀오다』. poetbch@daum.net

**서수찬**

1989년 《노동해방문학》 등단, 시집 『시금치 학교』. soochan0414@daum.net

**서정화**

2018년 《서정시학》 등단, 시집 『유령그물』 『바다 거미 출력소』. femina1904@naver.com

**서현진**

시집 『작은 새를 위하여』. liberty7374@daum.net

**석연경**

2013년 《시와문화》 등단, 시집 『독수리의 날들』 『섬광, 쇄빙선』. wuju0219@naver.com

**성두현**

1995년 《시세계》 등단, 시집 『봄빛도 아픔이 되는 연한 순(筍)』. sdh2061@naver.com

**성선경**

1988년 한국일보 신춘문예 등단, 시집 『네가 청둥오리였을 때 나는 무엇이었을까』 『파랑은 어디서 왔나』. sunkung11@daum.net

**손인식**

1990년 《충무문학》 등단, 시집 『갈대꽃』. cephasshon@daum.net

**송명호**

songpoet@naver.com

**송승태**

《착각의시학》등단, 포토시집 『푸넘 끝에 희망』 그림동화 『책 보러
왔어요』. ssts333@naver.com

**송은숙**

2004년 《시사사》 등단, 시집 『얼음의 역사』 『만 개의 손을 흔든다』.
song0523@daum.net

**신세훈**

1962년 조선일보 신춘문예 등단, 시집 『사미인곡』 『뿌리들의 하
늘』. freelit@daum.net

**신언관**

2015년 《시와문화》 등단, 시집 『그곳 아우내강의 노을』 『뭐 별것도
아니네』. gus-nam@daum.net

**신정민**

2003년 부산일보 신춘문예 등단, 시집 『저녁은 안녕이란 인사를
하지 않는다』 『나이지리아의 모자』. jungmin1204@daum.net

**신현림**

1990년 《현대시학》 등단, 시집 『지루한 세상에 불타는 구두를 던
져라』 『울컥,대한민국』. abrosa7@naver.com

**신현수**

1985년 《시와 의식》 등단, 시집 『서산 가는 길』 『천국의 하루』.
hanishin@daum.net

**안명옥**

2002년 《시와시학》 등단, 시집 『칼』 『뜨거운 자작나무숲』.
reportkr@naver.com

**안성길**

1987년 《지평》 등단, 시집 『빛나는 고난』 『민달팽이의 노래』.
hansghansg@naver.com

**안오일**

2007년 전남일보 신춘문예 등단, 시집 『화려한 반란』 『그래도 괜찮아』. ann51p@daum.net

**안익수**

1972년 독서신문 등단, 시집 『바람은 갈대를 꺾지 않는다』 『꽃과 바람의 수수께끼』. 3munhak@daum.net

**양수덕**

2009년 경향신문 신춘문예 등단, 시집 『유리 동물원』 『새, 블랙박스』. gchisong7@daum.net

**양원**

《시와문화》 등단, 시집 『의문과 질문』 『물과 풀에게 돌려주다』. weonyang@naver.com

**양정자**

1990년 시집 『아내일기』 등단, 시집 『아이들의 풀잎노래』 『내가 읽은 삶』. yeepal@daum.net

**여국현**

2018년 《푸른사상》 등단, 시집 『새벽에 깨어』 『우리 생의 어느 때가 되면』. isles4@daum.net

**오영자**

2011년 《시선》 등단, 시집 『푸른 시절 안에 눕다』. ant0811kr@daum.net

**오하룡**

1975년 시집 『母鄕』 등단, 시집 『잡초의 생각으로도』 『별향』. gnbook@daum.net

**옥세현**

2019년 《월간 시》 등단. dnpoet@naver.com

**온형근**

1997년 《오늘의 문학》 등단, 시집 『고라니 고속도로』 『천년의 숲에 서 있었네』. namuwa@kakao.com

**우동식**

2009년 《정신과 표현》 등단, 시집 『바람평설』 『겨울, 은행나무의 발묵법』. debtors77@daum.net

**유강희**

1987년 서울신문 신춘문예 등단, 시집 『고백이 참 희망적이네』 동 시집 『손바닥 동시』. dochaebi@empas.com

**유순덕**

2013년 《열린시학》 등단, 시집 『구부러진 햇살을 보다』. sdyoo2488@daum.net

**유순예**

2007년 《시선》 등단, 시집 『나비, 다녀가시다』 『속살거려도 다 알 아』. ysywith@naver.com

**유용주**

1991년 《창작과 비평》 등단, 시집 『낙엽』 『어머이도 저렇게 울었을 것이다』. sinmusan@daum.net

**유진택**

1996년 《문학과 사회》 등단, 시집 『환한 꽃의 상처』 『염소와 꽃잎』. yjt_poet@daum.net

**유현숙**

2001년 동양일보 등단, 시집 『몹시』 『외치의 혀』. wishyhs@daum.net

**윤석홍**

1987년 《분단시대》 등단, 시집 『저무는 산은 아름답다』 『경주 남산에 가면 신라가 보인다』. himal21@daum.net

**이강산**

1989년 《실천문학》 등단, 시집 『하모니카를 찾아서』 『모항』. lks5929@daum.net

**이다빈**

1996년 《현대경영》 등단, 시집 『문 하나 열면』. geuldongne@naver.com

**이도영**

2000년 시집 『그 수락산』. gate5200@naver.com

**이문복**

1999년 《작가마당》 등단, 시집 『사랑의 마키아벨리즘』. anak52@daum.net

**이문숙**

1996년 《현대시학》 등단, 시집 『한 발짝을 옮기는 동안』 『무릎이 무르팍이 되기까지』. silmoon58@naver.com

**이복현**

1994년 중앙일보 신춘문예 등단, 시집 『한쪽 볼이 붉은 사과』 『따뜻한 사랑 한 그릇』. poemtop@daum.net

**이상국**

1976년 《심상》 등단, 시집 『뻘을 적시며』 『저물어도 돌아갈 줄 모르는 사람』. bawoo8586@daum.net

**이상인**

1992년 《한국문학》 등단, 시집 『해변주점』 『연둣빛 치어들』. lisiin@daum.net

**이성자**

1996년 동아일보 신춘문예(동시) 등단, 시집 『너도 알 거야』 『기특한 생각』. klsja3@daum.net

**이소암**

2000년 《자유문학》 등단, 시집 『눈부시다 그 꽃!』『부르고 싶은 이름 있거든』. lsa6246@daum.net

**이소율**

2012년 《시와문화》 등단, 시집 『익명적 중얼거림』. siltarae2@naver.com

**이숙희**

1986년 《한국여성시》 등단, 시집 『옥수수밭 옆집』『바라보다』. sh01828@nate.com

**이영춘**

1976년 《월간문학》 등단, 시집 『노자의 무덤을 가다』『오늘은 같은 길을 세 번 건넜다』. lycart@daum.net

**이윤**

2011년 창조문학신문 신춘문예 등단, 시집 『무심코 나팔꽃』『혜음 가는 길』. poem431@daum.net

**이은봉**

1984년 공동시집 『마침내 시인이여』 등단, 시집 『생활』『걸어 다니는 별』. lebhosim@daum.net

**이인성**

2015년 《리토피아》 등단, 시집 『달빛이 아프다』『바람이 사는 법』. lis6056@daum.net

**이정록**

1993년 동아일보 신춘문예 등단, 시집 『동심언어사전』『눈에 넣어도 아프지 않은 것들의 목록』. mojiran@daum.net

**이정섭**

2005년 《문학마당》 등단, 시집 『유령들의 저녁식사』『유령들』. jjugurii@daum.net

**이정연**

2016년 《서정과 현실》 등단, 시집 『비는 낮은 곳에도 동그라미를 그린다』. tea0089@daum.net

**이종수**

1998년 조선일보 신춘문예 등단, 시집 『달함지』 『안녕, 나의 별』. chamdo@daum.net

**이주희**

2007년 《시평》 등단, 시집 『마당 깊은 꽃집』. poesytree@daum.net

**이지담**

2010년 《서정시학》 등단, 시집 『자물통 속의 눈』 『너에게 잠을 부어주다』. jidam58@daum.net

**이하석**

1971년 《현대시학》 등단, 시집 『투명한 속』 『연애 간(間)』. hslee0124@daum.net

**임경묵**

2008년 《문학사상》 등단, 시집 『체 게바라 치킨 집』. bomnun89@daum.net

**임미리**

2008년 《열린시학》 등단, 시집 『엄마의 재봉틀』 『그대도 내겐 바람이다』. emr1124@daum.net

**임백령**

2016년 《월간문학》 등단, 시집 『사상으로 피는 꽃 이념으로 크는 나무가 어디 있더냐』 『미얀마 미얀마 오, 광주』. gulbong@naver.com

**장옥근**

2013년 《시와 경계》 등단, 시집 『눈 많은 그늘 나비처럼』. sumji0103@daum.net

**장유리**

1999년 《시와 생명》 등단. sealine9@naver.com

**장유정**

2013년 경인일보 신춘문예 등단, 시집 『그늘이 말을 걸다』. yyjung61@naver.com

**장이소**

2021년 경남신문 신춘문예 등단. ehjang68@daum.net

**장이엽**

2009년 《애지》 등단, 시집 『삐뚤어질 테다』. ra-pin@daum.net

**장인숙**

2002년 《문예 한국》 등단, 시집 『그대가 보내준 바다』 『괜찮습니다』. jispoet@daum.net

**장재원**

2008년 《리토피아》 등단, 시집 『뫼비우스 자서전』 『왕버들나무, 그 여자』. skanclsrn@daum.net

**장현숙**

2007년 《문학사상》 등단. koos1023@daum.net

**전남용**

2014년 《시인동네》 등단, 시집 『새를 날려 보내는 방법』 『자본주의 공원』. 5jeon9@naver.com

**정가일**

2002년 평화신문 신춘문예 등단, 시집 『배꼽 빠지는 놀이』 『사랑이라 말하기에는』. ipsakui@daum.net

**정기석**

2016년 《시와 경계》 등단, 시집 『고고인류학개론』 『마을학개론』. tourmali@daum.net

**정민나**

1998년 《현대시학》 등단, 시집 『E입국장 12번 출구』 『협상의 즐거움』. minna0926@naver.com

**정선호**

2001년 경남신문 신춘문예 등단, 시집 『내 몸속의 지구』 『세온도를 그리다』. sshish@daum.net

**정소슬**

2004년 《주변인과 시》 등단, 시집 『내 속에 너를 가두고』 『사타구니가 가렵다』. moreunduk@daum.net

**정여운**

2020년 《서정시학》 등단. ssforkids@naver.com

**정지윤**

2015년 경상일보 신춘문예 등단, 시집 『참치캔 의족』 동시집 『어쩌면 정말 새일지도 몰라요』. jmk4033@naver.com

**조규남**

2012년 농민신문 신춘문예 등단, 시집 『연두는 모른다』. queencho815@naver.com

**조동례**

시집 『어처구니 사랑』 『달을 가리키던 손가락』. jodr0903@daum.net

**조숙**

2000년 경남신문 신춘문예 등단, 시집 『금니, 유쾌하다』. sookcho05@naver.com

**조영욱**

1999년 《문학21》 등단, 시집 『내 시는 시가 아니어도 좋다』.
bijonara@daum.net

**조정애**

1990년 《문학공간》 등단, 시집 『푸른 눈빛의 새벽』 『슬픔에도 언니
가 있다』. hyesol57@naver.com

**종정순**

2016년 《시인동네》 등단, 시집 『뱀의 가족사』. isel-bi@daum.net

**주석희**

2013년 《포엠포엠》 등단, 시집 『이타적 언어』. kimpojooin@daum.
net

**진순희**

2012년 《미네르바》 등단. nangrang7@daum.net

**차옥혜**

1984년 《한국문학》 등단, 시집 『깊고 먼 그 이름』 『말의 순례자』.
okhye09@naver.com

**채상근**

1985년 《시인》 등단, 시집 『거기 서 있는 사람 누구요』 『사람이나
꽃이나』. gilgangsan77@naver.com

**채지원**

2008년 《문학과 의식》 등단, 시집 『대단한 놈들이다』 『판타스마고
리아』. nunsaram1216@daum.net

**최기종**

1992년 『대통령의 얼굴이 또 바뀌면』 등단, 시집 『나무 위의 여자』
『슬픔아 놀자』. jogi-choi@daum.net

**최두석**

1980년 《심상》 등단, 시집 『투구꽃』 『숨살이꽃』. pinus@hs.ac.kr

**최병해**

1992년 《창작과 비평》 등단. chbh1050@daum.net

**최상해**

2007년 《사람의 문학》 등단, 시집 『그래도 맑음』 『당신이라는 문을 열었을 때처럼』. fluteds@daum.net

**최일화**

1985년 시집 『우리 사랑이 成熟하는 날까지』 등단, 시집 『시간의 빛깔』 『마지막 리허설』. choiihlwha@daum.net

**최지온**

2019년 《시로 여는 세상》 등단. sundo39@daum.net

**표성배**

1995년 '마창노련문학상' 등단, 시집 『은근히 즐거운』 『자갈자갈』. p-rorxh@daum.net

**피재현**

1999년 《사람의 문학》 등단, 시집 『우는 시간』 『원더우먼 윤채선』. ppppp2001@daum.net

**하승무**

1994년 《한겨레문학》 등단. ransah@naver.com

**한경숙**

2020년 《덩아돌하》 등단. kshan1357@daum.net

**한경용**

2010년 《시에》 등단, 시집 『빈센트를 위한 만찬』 『고등어가 있는 풍경』. cris_han@daum.net

**한명원**

2012년 조선일보 신춘문예 등단, 시집 『거절하는 몇 가지 방법』. mwhan65@daum.net

**한성희**

2009년 《시평》 등단, 시집 『푸른숲우체국장』 『나는 당신 몸에 숨는다』. poethsh@naver.com

**한영수**

2005년 '최치원신인문학상' 등단, 시집 『케냐의 장미』 『눈송이에 방을 들였다』. youngyoungh@daum.net

**한종근**

2020년 《시와문화》 등단. hanjg2840@daum.net

**허완**

1989년 《교사문학》 등단, 시집 『황둔 가는 길』. waneeh@naver.com

**허종열**

시집 『먼지로 돌아가리라』 『데리고 가요』. ignahur@daum.net

**허형만**

1973년 《월간문학》 등단, 시집 『황홀』 『바람칼』. hhmpoet@daum.net

**홍관희**

1982년 《한국시학》 등단, 시집 『그대 가슴 부르고 싶다』 『홀로 무엇을 하리』. hongsiin35@daum.net

**황상순**

1999년 《시문학》 등단, 시집 『사과벌레의 여행』 『비둘기 경제학』. malgns@daum.net

**황은주**

2012년 중앙일보 중앙신인문학상 등단, 시집 『그 애가 울까봐』.
sotguihyun@daum.net

**황희수**

2013년 《시와문화》 등단, 시집 『나에게로 가는 먼 길』. hsm0037@
naver.com

# 선물처럼 찾아온 멈춤의 순간

| | |
|---|---|
| 출간일 | 2022년 2월 28일 |
| 펴낸이 | 2021 한국작가회의 시분과위원회 |
| 지은이 | 이상국 외 |
| 기획·진행 | 이정록 김안녕 |
| 디자인·인쇄 | 도서출판 걷는사람 |
| 주소 | 서울 마포구 월드컵로16길 51 서교자이빌 304호 |
| e-mail | walker2017@naver.com |
| ISBN | 979-11-91262-96-4 |